Methode, was fehlt?
- Erzählt lesen / lassen (reflexive Pronomen.)
- Diachronie / Synchronie
  Ls erzeugen Vgphl zu Zeit?
  1. Anmerken (Geg.)
  2. Bezug Vergg.
  3. Bezug Zukunft

T O Po

⇒ Versandles & Kapitel zuordnen

→ neue Themenf. / Kap. ordnen
  Ls Kapitel: Zaubernd handeln

        → sprechen
        → spielen
        → Künstlisdal / Kreativ-sein

        → Denken
        → Ansammeln / Archiv.

-> phant. Genauigkeit -> Vag. & Gegw.
-> v. Zt.-Drill -> Geg. / Wesen
-> Dsj. Synthese -> Geg / Wesen
-> Datphantome -> Zukunft / Vag
-> unkv. Grund -> Vag / Geg / Zuk.
(Wirklichkeit?)

Holm Friebe
Die Stein-Strategie

-> Aspekt der Wertung / Urteils (normativ)

-> Kein Zielwert von Handlungsmacht (politisch) und dem Infragestellen der Instanz

-> Autoritätsprinzip

-> immer 66 Bl. Das "Wir" ungenau. Nur wenn das Nicht-Handeln gegen den Aktivismus anleben soll, muss es möglicherweise die Frage nach dem "Wir" beantworten wenn es optional sein soll. Diskursführung

-> Vogl. bezieht sich die Reflexionskräfte (SWR)

-> Was ist mit den Aufmerksamkeitskräften (SWR)

↳ Zaudern ist beides.

-> Frage nach "bewussten" Entsch.-Prozessen

-> Vag. / Geg / Zukunfts-übergreifend.

-> Am Ende: Alternativlos (unkritisch, Wissenschaft)

„Change" lautet das Mantra stetigen Wandels, „Innovation" der Refrain zum vorherrschenden Imperativ permanenter Veränderung. Vieles wird nur deshalb unternommen, damit etwas geschieht. In einem von blindem Aktionismus geprägten gesellschaftlichen Klima bleibt die klügere Option des gelassenen Abwartens oft unterbelichtet. Dabei liegt in der Ruhe nicht bloß Kraft. Dem „action bias", der Neigung zum vorschnellen Handeln zu widerstehen, ist das beste Rezept für langfristigen Erfolg.

Die Stein-Strategie ist weder eine Apologie der Faulheit noch ein weiteres Plädoyer für mehr Muße und Müßiggang. Sie zielt vielmehr auf die Durchsetzung eigener Interessen und Erlangung strategischer Vorteile durch Nicht-Handeln: ob in der Politik, wo Angela Merkel durch Aussitzen und „asymmetrische Demobilisierung" ihre Macht ausbaut, an der Börse, wo Warren Buffett Geld nicht durch hektisches Zocken, sondern durch kluges Warten verdient, oder in der Kommunikation, wo Schweigen die mächtigste Waffe ist. In einer hektischen und turbulenten Gegenwart ist die Stein-Strategie das ultimative Antidot gegen Hysterie und Panikmache. Denn von Steinen lernen heißt siegen lernen.

Holm Friebe ist Volkswirt, Geschäftsführer der Zentralen Intelligenz Agentur (ZIA) in Berlin und Hochschullehrer für Designtheorie. Er ist Autor mehrerer Sachbücher, unter anderem des Wirtschaftsbestsellers *Wir nennen es Arbeit* (2006). Zuletzt erschien von ihm, zusammen mit Philipp Albers verfasst, *Was Sie schon immer über 6 wissen wollten.*

Holm Friebe

DIE STEIN-
STRATEGIE

Von der Kunst, nicht zu handeln

Verwandtes: - Pause (SWR)
           - Zweifel /Skepsis
           - "Testverfahren" (SWR, Vogt)
           - Meditation (SWR Eckerfeld)
           - Wichtholz
           - Umfrage (Michel/NTV) (innen/außen)
           - Archivieren
           - Prognostizieren
           - Planen

HANSER

Bibliografische Information der Deutschen Nationalbibliothek
Die Deutsche Nationalbibliothek verzeichnet diese Publikation in der
Deutschen Nationalbibliografie; detaillierte bibliografische Daten sind
im Internet über http://dnb.d-nb.de abrufbar.

1 2 3 4 5   17 16 15 14 13

© 2013 Carl Hanser Verlag München
Internet: http://www.hanser-literaturverlage.de

Herstellung: Thomas Gerhardy
Illustrator: Peter Palm, Berlin
Umschlaggestaltung: Hauptmann & Kompanie Werbeagentur,
Zürich, Michael Hofstetter
Satz: Kösel, Krugzell
Druck und Bindung: Friedrich Pustet, Regensburg
Printed in Germany
ISBN 978-3-446-43677-0
E-Book-ISBN 978-3-446-43641-1

INHALT

Stones taught me to fly
Damien Rice

Let there be rock
Tocotronic

EINLEITUNG

Wenn du dich bewegst, musst du wissen, wohin. Wenn du dich nicht bewegst, musst du wissen, warum. Dieses Buch will nicht sagen, wo es langgeht. Es will vielmehr zeigen, warum das Nicht-Handeln, Stillhalten, Abwarten in vielen Situationen die bessere Wahl ist – und eine Option, die in den Strukturen und Systemen, in denen wir stecken, allzu oft ausgeblendet und hinweggefegt wird von der allgemeinen Drift zum Aktionistischen: Dem zupackenden Macher gehört die Welt, Wagemut schlägt Wankelmut.

Natürlich, das gleich vorweg, gehen uns, die wir in der Welt etwas erreichen wollen, die Bremser, Verhinderer und Passivisten oft genug auf die Nerven, über deren Schreibtischen eine vergilbte Kopie aus den Zeiten des Fax-Humors hängt: „Wir sind bei der Arbeit und nicht auf der Flucht." Wir ärgern uns über ihre Borniertheit nach dem Motto „keine Experimente!". Unterm Strich aber richten sie deutlich weniger Schaden an als die Umtriebigen und Agilen, die Paniker und Machbarkeitsfanatiker.

Zwar wird der bedächtig Abwartende niemals Lob und Lorbeeren für seine heroische Kühnheit ernten. Er wird häufig nicht das maximale Resultat erzielen. Aber er wird katastrophale Fehlentscheidungen vermeiden, nicht mit fliegenden Fahnen in sein Verderben rennen und im Zweifel länger am Leben bleiben.

In diesem Sinne ist die Stein-Strategie bei gewissenhafter Abwägung die klügere Alternative – und ein Gegengift wider voreiliges Handeln, blauäugige Beherztheit und konfusen Hyperaktivismus. Was sie nicht ist: eine Apologie der Faulheit und ein erneutes Loblied auf die „Prokrastination", das zwanghafte Aufschiebeverhalten. Das Unterlassen als Strategie setzt voraus, dass man immer auch handeln könnte und sich bewusst dagegen entscheidet – und nicht, dass man durch höhere Mächte, Antriebslosigkeit oder eine pathologische Disposition dazu gezwungen wird, in Untätigkeit zu verharren. „Die Bedingung der *möglichen Verhaltensalternativen* ist ein konstitutives Moment des Unterlassens", stellt der Philosoph Dieter Birnbacher klar.

Es geht hier also weniger um die Tradition Fürst Oblomovs, jenes Antihelden aus dem gleichnamigen Gontscharow-Roman, der zum Symbol personifizierter Lethargie („der Mittagsschlaf war das Zentrum seines Tagesablaufs") und damit zur Identifikationsfigur aller Slacker wurde. Dann schon eher um das Erbe von Herman Melvilles Bartleby, dem Schreiber, der durch seine plötzliche starrköpfige Verweigerungshaltung („I would prefer not to") sein gesamtes Büroumfeld lahmlegte. Sicherlich kann man sich bei den Vorbildern aus der Richtung von Shakespeares Hamlet bis zu Samuel Becketts trantütigen Helden – den „Athleten des Zauderns", wie sie der Kulturwissenschaftler Joseph Vogl nennt – einiges abschauen. Allerdings werden wir uns nicht groß mit ihnen aufhalten und verweisen auf die einschlägige Fachliteratur.

Zugleich sollte dieses Buch nicht als ein Plädoyer für die angeblich verlernte Kulturtechnik von Muße, Müßiggang und Nichtstun missverstanden werden. Auch davon hat es in den letzten Jahren zur Genüge gegeben. Anders als jene gutgemeinten, zumeist kulturpessimistisch grundierten Mahnungen zu Entschleunigung und innerer Einkehr, zielt die Stein-Strategie auf die Verfolgung und Durchsetzung handfester Eigeninteressen von Individuen und Organisationen. Sie ist eine Lektion in Abwarten und Aussitzen, ein Lob auf die Tugend des Füße-still-halten-Könnens und Kommen-Lassens. In einer von sinnlosem Stress, Hektik und Atemlosigkeit geprägten Zeit ist intentionale Passivität eine rare und zu Unrecht verfemte Kunstform, die durch nichts besser versinnbildlicht wird als durch den ruhenden Stein.

Manuel De Landa, ein Philosoph des „Neuen Materialismus", argumentiert in seinem großartigen Buch *A Thousand Years of Nonlinear History*, dass zwischen der Erd-, Sozial- und Kulturgeschichte mehr strukturelle Ähnlichkeiten bestehen als Unterschiede. Es führt eine direkte, wenn auch keine gerade Linie von der Geologie zur Soziologie: „Wir leben in einer Welt, die von Strukturen bevölkert wird – eine komplexe Mischung aus geologischen, biologischen, sozialen und linguistischen Konstrukten, die nichts sind als Akkumulationen von Material, die von der Geschichte geformt und gehärtet werden." In dieser nonlinearen Geschichtsschreibung findet man „Bifurkationslinien", an denen das System einen Sprung bekommt und in einen anderen Zustand wechselt. Die Spur der Steine und die Spur der Menschen kreuzen sich mehrfach und durchdringen sich wechselseitig. Die Herausbildung von Knochen, die Mineralisierung des tierischen und später menschlichen Endoskeletts bildet einen der Kreuzungspunkte. Ein weiterer liegt vor etwa 8000 Jahren, als Menschen begannen, sich mineralische Exoskelette zu bauen: Häuser aus Stein. So sind wir über die Geschichte mit den Steinen verbandelt.

Zwar haben Steine, nach allem, was man weiß, kein Bewusstsein, keinen eigenen Willen und können ergo auch keine Strategie verfolgen. „Wozu über Steine reden, wenn der Mensch das Thema ist?", versetzt Peter Sloterdijk in seiner *Weltfremdheit*: „Von der Seinsweise der Steine führt, so scheint es, kein Weg zu der der Menschen." Für den Philosophen erschöpft sich die Parallele von Mensch und Stein im Bild des Findlings, den die Eiszeit in der Ebene zurückgelassen hat: Indem wir uns unserer Existenz bewusst werden, würden wir zu Findlingen unserer selbst, zu „Selbstfindlingen".

In diesem Buch wollen wir eine andere Abzweigung nehmen, indem wir uns, *cum grano salis*, von der Metapher des Steins in Richtung strategisches Denken leiten lassen.

Im Genre des populären Strategie-Sachbuchs, das uns Orientierung für die private Bewältigung des Alltags und für das professionelle Vorankommen verspricht, ist es modern geworden, niedere Lebensformen zum titelgebenden Vorbild zu machen. Begonnen hat das mit Spencer Johnsons schmalem Büchlein *Die Mäuse-Strategie für Manager*, das anhand einer Fabel aufschlüsselt, wie wir „Veränderungen erfolgreich begegnen“: Zwei Mäuse und zwei Zwergenmenschen suchen täglich in einem Labyrinth nach Käse. Als sie einen größeren Vorrat gefunden haben, setzen sich die Menschen zur Ruhe und werden bequem, während die Mäuse alert und auf dem Sprung bleiben. Als der Käsevorrat aufgezehrt ist, ziehen die Mäuse sofort wieder hinaus ins Labyrinth, während die Menschen lange über dem Verlust brüten, bevor sie sich endlich aufraffen, neuen Käse zu suchen.

Was will uns das sagen? Was sollen wir von den Mäusen lernen? „Die Mäuse analysierten die Lage nicht übermäßig und belasteten sich nicht mit komplizierten Überlegungen.“ Und für alle, die es noch nicht kapiert haben, sind ganzseitige Merksätze und Sinnsprüche wie „Je schneller Du den alten Käse sausen lässt, desto eher findest Du neuen“ eingestreut. Der Käse steht – logisch, was sonst? – für alles, was uns kostbar ist und was wir im Leben anstreben.

So platt die Botschaft, so imposant am Ende der deutschen Ausgabe die Liste der Unternehmen, in denen das Buch so etwas wie Pflichtlektüre zu sein scheint. Sie reicht von Exxon über General Motors bis Xerox. Seit Erscheinen 1998 hat sich die einfältige kleine Geschichte weltweit 26 Millionen Mal verkauft und wurde zu einem der erfolgreichsten Wirtschaftsbestseller aller Zeiten. Offensichtlich hat sie einen Nerv der Zeit getroffen und einen

Bedarf richtig erkannt: den Betroffenen der seit etwa Mitte der 1990er grassierenden Umbaumanie in Unternehmen und Konzernen – den „flexiblen Menschen", wie Richard Sennett sie getauft hat – etwas Erbauliches und Tröstendes an die Hand zu geben.

Bei so einem Erfolg ließen die Epigonen natürlich nicht lang auf sich warten. Unter anderem liegen mittlerweile vor: *Die Bären-Strategie, Die Schaf-Strategie, Das Pinguin-Prinzip* und natürlich eine *Delfin-Strategie*. Den vorläufigen Tiefpunkt markiert *Die Kakerlaken-Strategie* von Craig Hovey. 2006 erschienen, handelt sie davon, dass ein frustrierter Angestellter, der einer sprechenden Kakerlake das Leben schenkt, zum Dank mit allerlei Kniffen für den täglichen Existenzkampf im Büro versorgt wird. Logisch, denn „als die ultimativen Überlebenskünstler, die schon vor den Dinosauriern existierten, kennen Kakerlaken die besten Überlebenstipps für das Überleben im Job". Ihre „Kakerlaken-Gebote" lauten also: „Greif an, während die anderen noch grübeln." Oder: „Was dich nicht umbringt, macht dich nur stärker."

Was ist aus dem schönen Strategie-Ratgeber-Genre geworden, das einst in Asien erfunden wurde, in Europa zur Blüte gelangte und von den Amerikanern verwissenschaftlicht wurde?! Als gesammeltes Erfahrungswissen aus zweitausend Jahren chinesischer Kriegskunst sind die berühmten 36 Strategeme überliefert, die so schöne Namen tragen wie „Einen Backstein hinwerfen, um Jade zu erlangen" oder „Die Akazie schelten, dabei aber auf den Maulbeer zeigen" – in Wahrheit sind es weniger Strategien als taktische Finten und Winkelzüge.

Am Anfang der Neuzeit beantwortete der Medici-Ein-flüsterer Niccoló Machiavelli die Frage, ob es für einen Herrscher besser sei, geliebt oder gefürchtet zu sein, mit erfrischendem Realitätssinn: nach Möglichkeit beides, aber wenn man sich denn für eines entscheiden müsse, dann besser gefürchtet. Die Wahrheit müsse man nur sagen, wenn man Gefahr laufe, beim Lügen erwischt zu werden. Aufklärerische Interpreten waren sich lange Zeit nicht sicher, ob es sich bei Machiavellis Buch *Der Fürst* nicht vielleicht um Satire handele.

Unmissverständlicher war da schon General von Clausewitz' Handbuch der Kriegskunst *Vom Kriege* aus dem frühen 19. Jahrhundert. Mit preußischer Sachlichkeit und Akribie wird darin zwischen Strategie und Taktik, innerhalb der Strategien noch einmal zwischen „Niederwerfungs-" und „Ermattungsstrategie" differenziert. Clausewitz war auch der Erste, der darauf hinwies, dass es im Krieg immer außerplanmäßige „Friktionen" gebe und im „Nebel des Krieges" nichts so laufe wie geplant.

In der ersten Hochphase des Kalten Krieges 1960 schließlich legte Thomas C. Schelling mit seiner Analyse *The Strategy of Conflict* die Grundlagen für die wissenschaftliche Spieltheorie, wofür er später den Wirtschaftsnobelpreis erhielt. Am Anfang steht bei ihm die Unterscheidung zwischen denen, die Konflikte für etwas Pathologisches halten, das es zu beseitigen und zu überwinden gilt, und der Fraktion derer, die Konflikte als gegebene und wiederkehrende Tatsache begreifen und sie in all ihrer Komplexität verstehen wollen – wobei Letztere natürlich den spannenderen Ansatz verfolgen.

Dagegen nehmen sich die heutigen zoologisch inspirierten Strategiebücher eher naseweis und bauernschlau aus. Auch wenn bislang noch niemand eine Hunde-Strategie für Manager formuliert hat, kann man sagen: Das Genre ist auf den Hund gekommen. Angesichts des unterschwelligen und unreflektierten (oder auch: bewusst in Kauf genommenen) Zynismus, den es darstellt, erwachsene Menschen mit den Verhaltensmustern und Reaktionsweisen von Säugern, Nagern und Ungeziefer zu behelligen, ist es ein geradezu konsequenter Rettungsversuch für das Genre, zur – mit Max Goldt gesprochen: – „majestätischen Ruhe des Anorganischen" durchzubrechen und den Stein zum inspirierenden Vorbild zu erküren.

Die Menschen mögen Steine – bis hin zur Identifikation mit ihnen. *I Am A Rock* sangen Simon and Garfunkel Anfang der 1960er. Und Bob Dylan fragte sich: „How does it feel, to be on your own (…) like a rolling stone?" Zehn Jahre später wurde es in der Hippiekultur der USA Mode, sich Steine als Haustiere zu halten. Der „Pet Rock", ein handelsüblicher Kieselstein, kam auf Stroh gebettet in einer mit Luftlöchern versehenen Transportschachtel ins Haus. Er war anspruchslos, pflegeleicht und selbst Kindern guten Gewissens zu überantworten. Über eine Million „Pet Rocks" wurden seinerzeit verkauft, was den Erfinder Gary Dahl aus Kalifornien zu einem reichen Mann machte. Heute gibt es die Neuauflage des Haustier-Steins mit USB-Anschluss im Internet zu bestellen.

Die evolutorische Überlegenheit nicht-domestizierter Steine ist unabweisbar: Wenn dereinst Menschen, Mäuse, selbst Kakerlaken vom Erdboden verschwunden werden, wird es immer noch und für eine lange Zeit danach Steine geben. Steine sind optimal angepasst an ihre natürliche Umgebung. Steine denken in langen Zeiträumen und großen Bögen; der schnelle Vorteil – sogenannte „quick wins" – sind nicht ihr Geschäftsmodell. Steine sind ihrem gesamten Wesen nach grundsolide.

Die Stein-Strategie ist demnach ein Programm innerer Beständigkeit und langfristiger Überlegenheit. Sie versteht sich als Übung in Selbstdisziplin und Antidot gegen Ungeduld und Aktionismus, Unrast und Umtriebigkeit. Der Spur der Steine folgen heißt, Eigensinn und Gelassenheit erfolgreich zu kombinieren, den geschmeidigen situativen Wechsel zwischen Beharrlichkeit und Geschehenlassen zu praktizieren. Oder kürzer und mit Dank an den großen Robert Gernhardt: Von Steinen lernen heißt liegen lernen.

In einer Nussschale meint die Stein-Strategie: weniger tun, eigentlich fast gar nichts tun, aber das Wenige mit durchschlagender Wirksamkeit. Sie ist eine Variation auf das ewige Thema „In der Ruhe liegt die Kraft", das, wie zu zeigen sein wird, mehr als nur das taugliche Grundmuster spiritueller Meditation und individueller Achtsamkeit ist. Vielmehr lässt sich die Stein-Strategie anwenden auf Politik und Staatskunst, Bildende Kunst und Literatur. Sie ist handlungsleitend für Wirtschaft, Management und Finanzgeschäfte. Und sie stiftet Orientierung im unwegsamen Gelände von Paarbeziehungen und privaten Konflikten, was ja nicht selten dasselbe ist.

Eine Freundin, ohne die ich selbst niemals zum Bücherschreiben gekommen wäre, die Autorin, Verlegerin und große Alltagsphilosophin Annette Anton, pflegt zu sagen:

„Entweder, man ist Teil des Problems – oder man ist Teil der Landschaft." Wenn man vor der Wahl steht, ist Letzteres sicher die bessere Alternative. Wir wollen also damit beginnen, wie man Teil der Landschaft wird. Wir wollen begründen, warum es von Vorteil sein kann, sich nicht zu bewegen.

BE HERE NOW:

DIE KUNST DES LIEGEN-BLEIBENS

Don't panic!

Was tun, wenn man sich so richtig verlaufen, wenn man sich nach Strich und Faden verirrt hat? Wenn der Akku des Smartphones leer ist und weder GPS-Navigation noch Notruf zur Verfügung stehen? Wenn sich im Bewusstsein die Erkenntnis Bahn bricht, dass es diesmal wirklich ernst ist, dass sich kein einfacher Ausweg auftut und man am Ende sterben könnte? Vorhin sah man doch noch den Wandererparkplatz in der Ferne. Diese Felsformation kommt einem irgendwie vertraut vor, hat man die nicht vom Tal her aus einem anderen Winkel gesehen? Und hat man nicht schon einmal genau im Schatten dieses Baumes Rast gemacht?

Die meisten lebensgefährlichen Situationen kommen ja nicht dadurch zustande, dass jemand sich wissentlich in äußerste Gefahr begibt. Sie ereignen sich nicht fern abseits der Zivilisation, sondern in ihrem toten Winkel, in unmittelbarer Nähe ausgetretener Pfade: Das Schlauchboot treibt ganz allmählich von der Küste ab. Beim Pilzesuchen gerät man ins tiefe Unterholz und findet den Weg nicht mehr zurück. Eine vermeintliche Abkürzung während eines ausgedehnten Spaziergangs im Gebirge entpuppt sich als Holzweg; plötzlich schlägt das Wetter um.

Tatsächlich ist der Übergang von „alles unter Kontrolle" zu „komplett hilflos" ein gradueller, es sei denn, ein Flugzeug stürzt ab, ein Schiff kentert oder eine Lawine reißt einen in den Abgrund. Verirrtsein ist kein objektiver Tatbestand, der irgendwann eintritt. Es ist ein Geisteszustand, der meist lange hinausgezögert wird. Davor kommt jene Phase, die man metaphorisch „Pfeifen im Walde" nennt: ein autosuggestives Verleugnen und Verdrängen des Unabweisbaren.

Je nach Panikneigung gelingt es unserem Bewusstsein erstaunlich lange, die Situation als unkritisch zu verharmlosen, Zweckoptimismus zu verbreiten und Souveränität zu suggerieren, während es dem Unbewussten schon merklich unbehaglich wird und sich im Körper ein explosiver Cocktail aus Stresshormonen zusammenbraut. „Bending the map", die Landkarte verbiegen, nennen Psychologen dieses Verhaltensmuster: Wir passen die mentale Landkarte soweit an, dass sie den aktuellen Gegebenheiten entspricht. Und was nicht passt, wird passend gemacht.

Die Fähigkeit des menschlichen Gehirns, die innere Landkarte den äußeren Gegebenheiten anzupassen, auch wenn schon längst nichts mehr zusammenpasst, ist enorm. Ein Freund, berichtet der Situationist Guy Debord, sei mit einem Stadtplan Londons durch den Harz gewandert und habe sich damit prima zurechtgefunden. So in etwa muss man sich das Bending the map vorstellen. Nur dass es im Falle des Verirrtseins unwillkürlich geschieht. Irgendwann jedoch wird das Knirschen im Kopf – die kognitive Dissonanz zwischen innerer Karte und äußeren Umständen – zu massiv. Das Konstrukt kollabiert, und helle Panik bricht aus. Das ist dann der Moment, in dem sich entscheidet, wie die Chancen stehen, mit dem Leben davonzukommen.

Evolutionsbiologisch ist Panik ein sinnvolles Reaktionsmuster. Das Herz beginnt zu rasen, das Bewusstsein verengt sich, und körperliche Kräfte werden mobilisiert. Über Jahrmillionen hat sie uns gute Dienste geleistet, wenn es darum ging, sich gegen Räuber und Raubtiere instinktiv zur Wehr zu setzen oder die Flucht zu ergreifen. Wenn es nicht mehr um Überlebenskampf, sondern bloß um Orientierung in der Wildnis geht, ist sie jedoch kein guter Ratgeber. Sie verleitet uns zu kopflosen Aktionen, die die Situation in den meisten Fällen verschlimmern. Latent lebensbedrohliche physische Faktoren wie Erschöpfung, Dehydrierung, Unterkühlung werden verstärkt durch die innere Konfusion – und verstärken sie ihrerseits. Eine fatale Spirale.

William Syrotuck, ein Pionier der Survival-Forschung, hat 229 Fälle von Verschollenen untersucht, davon 11 Prozent mit tödlichem Ausgang. In *Analysis of Lost Person Behaviour* beschreibt er das typische Muster der Eskalation bei Verirrten. Mit dem Kollaps der inneren Karte setzt die Panik zunächst schleichend, dann heftig ein. Die Verirrten verlieren den Kopf: „Sowie die Umgebung weniger vertraut erscheint, die Dinge durcheinandergeraten, entwickeln sie ein Schwindelgefühl, bald gefolgt von Klaustrophobie. Weil die Bäume und Abhänge sie festzuhalten scheinen, versuchen sie ‚auszubrechen‘." Mit aller Hast wird versucht, an einen Ort zu gelangen, der wieder auf der mentalen Landkarte verzeichnet ist. „Das ist der Punkt, an dem sie wild rudernd zu rennen beginnen und blanke Panik ausbricht. Rennen ist Panik!"

In den von Syrotuck untersuchten Fällen mit tödlichem Ausgang starben drei Viertel der Menschen innerhalb von 48 Stunden. Die häufigste Todesursache war Unterkühlung, was in diesem Zusammenhang nur ein anderes Wort für Selbstaufgabe sein kann. Die physische Verausgabung führt zügig und unweigerlich in die totale Erschöpfung; die mentale Hyperaktivierung mündet in Resignation. Insofern hat Douglas Adams absolut den Punkt getroffen, als er auf der Hülle des titelgebenden elektronischen Reiseführers seiner Romantrilogie *Per Anhalter durch die Galaxis* in großen Leuchtbuchstaben die Worte „DON'T PANIC" stehen ließ. Tatsächlich ist die Frage, ob man in unübersichtlichen und scheinbar ausweglosen Situationen – egal ob als Anhalter im Weltall oder als auf der Erde Verirrter – in Panik gerät oder kühlen Kopf bewahrt, statistisch gesehen die, die über Leben und Tod entscheidet.

Deep survival

„Jeder, der da draußen stirbt, stirbt aus Verwirrung", schreibt Laurence Gonzales in *Deep Survival*. Für sein Buch hat der kanadische Journalist anhand zahlreicher Fallstudien untersucht, welche Strategien Verirrter und Verschollener am ehesten Erfolg versprechen und welche direkt ins Verderben führen. Die Quintessenz seiner Analyse heißt: *„Be here now*. Die letzte Phase im Prozess des Verirrtseins kann sich entweder als das Ende oder als ein neuer Anfang erweisen. Einige geben auf und sterben. Andere hören auf zu verleugnen und beginnen zu überleben. Du musst keine Spitzenleistungen erbringen. Du musst nicht perfekt sein. Du musst nur weitermachen und das nächste richtige Ding machen." In den meisten Fällen ist das nächste richtige Ding, vor Ort zu bleiben und sich mit der Situation zu arrangieren.

In fast allen Survival-Ratgebern lautet die Empfehlung deshalb: „Stay put!", bleib, wo Du bist, und schone Deine Kräfte!

Natürlich ist das keine Option in der Todeszone des Himalaya. Dort nur zu rasten ist gleichbedeutend mit dem sicheren Erfrierungstod; und kein Rettungshubschrauber wird einen je wieder von dort wegholen. Aber in Situationen, wo man im Entferntesten davon ausgehen kann, dass nach einem gesucht wird, oder regelmäßig andere Menschen vorbeikommen, ist Stay put die mit Abstand überlegene Überlebensstrategie.

Das klingt selbstverständlich und naheliegend, wenn man es vom Schreibtisch, aus dem Ohrensessel oder dem Survival-Seminar, jedenfalls aus dem Schutz der Zivilisation heraus betrachtet. Verirrt in der Einsamkeit der Wildnis scheint es das Schwierigste und Abwegigste überhaupt zu sein, jedenfalls halten sich 99 Prozent der Verirrten nicht an diese Regel. Laut einer Erhebung, die der Verirrensexperte Kenneth Hill anstellte, blieben nur zwei von 800 im Laufe der Jahre in Neuschottland verirrten Personen absichtlich an einem Ort, um besser gefunden zu werden. Kathrin Passig und Aleks Scholz zitieren ihn in ihrem lehrreichen Buch über das *Verirren* mit: „Zwar bewegen sich die meisten verirrten Personen nicht mehr fort, wenn sie gefunden werden, das liegt jedoch vorwiegend daran, dass sie erschöpft sind, schlafen oder das Bewusstsein verloren haben."

Dass sich Menschen da draußen so schwertun, diese einfache Regel zu befolgen, hat auch etwas mit Gesichtsverlust und Scham zu tun, vermuten Passig und Scholz: „‚Staying put‘ ist das Eingestehen des eigenen Versagens, der eigenen Schwäche und Verletzlichkeit, und zwar nicht nur vor sich selbst, sondern auch gegenüber den hypothetischen Rettungsmannschaften." Die Aufgabe der Selbstbestimmung des eigenen Schicksals erfordert Selbstüberwindung. Oft sind es deshalb nicht die gut durchtrainierten bärbeißigen Männer, die die besten Überlebensaussichten haben. Ihrer guten Konstitution kommen ihre Selbstüberschätzung, ihr überzogenes Selbstvertrauen und die Angst vor dem Eingeständnis des Scheiterns in die Quere.

Kleine Kinder dagegen haben eine erstaunlich hohe Überlebensrate, wie Gonzales berichtet. Ihr Überlebensrezept liegt darin begründet, dass sie in ihrer Panikneigung mehr Steinen ähneln als erwachsenen Menschen: „Eindeutig haben Kleinkinder ein Geheimnis, das über Wissen und Erfahrung triumphiert. Wissenschaftler wissen nicht exakt, worin dieses Geheimnis besteht, aber es hat vermutlich mit den basalen kindlichen Verhaltensmustern zu tun. In dem Alter hat das Gehirn bestimmte Fähigkeiten einfach noch nicht ausgebildet. Zum Beispiel entwerfen Kleinkinder noch keine mentalen Landkarten. Sie verstehen nicht, was es bedeutet, zu einem bestimmten Ort zu reisen, also fliehen sie auch nicht zu einem Punkt außerhalb ihres Gesichtsfeldes. Außerdem folgen sie ihren Instinkten. Wenn es kalt wird, krabbeln sie in einen hohlen Baum, wo es wärmer ist. Wenn sie erschöpft sind, ruhen sie sich aus und vermeiden so Übermüdung. Wenn sie Durst haben, trinken sie. Sie versuchen, es sich komfortabel zu machen, und ihre Bequemlichkeit hält sie am Leben."

Auch die Zähigkeit und Gelassenheit des Alters kann sich positiv auswirken. Im Sommer 2012 berichteten Zeitungen über die wundersame Rettung eines 70-jährigen Mannes aus Bayern, der eine Woche lang in einer Tiroler Gletscherspalte überlebte. Die Tafel Schokolade aus dem Rucksack – sein einziger Proviant – habe er sofort rationiert und jeden Tag nur ein Stück gegessen. Ansonsten habe er gedöst und sich möglichst wenig bewegt, bis er nach sechs Tagen von anderen Bergsteigern entdeckt und geborgen wurde. Zwar betrug seine Körpertemperatur da nur noch 34 Grad, und die Nieren waren wegen des mineralisierten Gletscherwassers etwas überlastet, insgesamt aber beschrieben die Ärzte seinen Zustand als „sehr stabil".

Intuitiv hat dieser Mann eine Grundregel des Überlebens befolgt, die Gonzales in *Deep Survival* aufstellt: „Eine Survival-Situation ist eine tickende Uhr: Du hast nur soundso viel gespeicherte Energie (und Wasser), und jedes Mal, wenn Du Dich verausgabst, brauchst Du etwas davon auf. Der Trick besteht darin, extrem geizig mit seinen knappen Ressourcen umzugehen. Aufwand und Nutzen auszubalancieren und nur in die Unternehmungen zu investieren, die die größten Erträge versprechen."

Die erste wichtige Lektion der Stein-Strategie lautet somit: Wenn Du überleben willst, bleib, wo Du bist! Kontrolliere Deine Impulse, schone Deine Kräfte und teile Deine Ressourcen gut ein! Oder wie Gottfried Benn den

Herrn von Ascot im *Ptolemäer* die ersten beiden seiner Lebensmaximen formulieren lässt: „1. Erkenne die Lage. 2. Rechne mit deinen Defekten. Gehe von deinen Beständen aus, nicht von deinen Parolen. (…)“

Staying put

Nicht nur fürs nackte Überleben, auch fürs gute Leben ist Staying put ein tauglicher Ratschlag. Diesem Umstand spürt der Literat Scott Russel Sanders in seinem lyrischen, autobiographisch gefärbten Essay *Staying put. Making a home in a restless world* nach: Er sei „lost“ gewesen auf eine Art, „die keine Landkarte heilen konnte“, bevor er beschloss, „ein Sesshafter zu werden, einer der sein Stück Land kennt und wertschätzt.“ Denn, so Sanders’ Einsicht, „das Bestreben, in einer Familie und einer Gemeinde verwurzelt zu sein, ist untrennbar verbunden mit der Verwurzelung an einen Ort.“ Für einen US-Amerikaner ist das geradezu revolutionär, ist die Nationalgeschichte doch durchzogen von einem „vagabundischen Wind“, der rastlos an einem zerrt.

Für uns Mitteleuropäer klingt es ein wenig altbacken, nach dem, was der Landfrauenverband seit eh und je propagiert: „Bleibe im Lande und nähre Dich redlich.“ Und: „Warum in die Ferne schweifen …?“ Natürlich sollten wir, mit einem Jugendbuchtitel von Joan Aiken, zunächst einmal das Meer satteln und den Sturm zügeln, bevor wir uns einen Platz in der Welt suchen. Aber Ziel sollte sein, diesen

Platz irgendwann auch zu finden, um nicht ein Leben lang von den entfesselten Marktkräften bald hierhin, bald dorthin geworfen zu werden. Selbst ein rollender Stein muss irgendwann zur Ruhe kommen.

Die Veränderung des Geisteszustands, die mit der Sesshaftwerdung einhergeht, ist subtil, aber fundamental. Nach fünf Jahren beginnt man, den Lokalteil der Tageszeitung zu lesen und sich für Kommunalpolitik zu interessieren. Nach zehn Jahren an einem Ort kennt man die Menschen im Viertel, und man grüßt sich auf der Straße. Einigen mag diese Verdörflichung bestimmter Großstadtquartiere gegen den Strich gehen, aber sie birgt durchaus Vorteile. Für intakte Nachbarschaftlichkeit ist sie ebenso Voraussetzung wie für zivilgesellschaftliches Engagement und eine hinreichende politische Beteiligung auf lokaler Ebene – vom ökologischen Fußabdruck gar nicht zu sprechen.

Trendforscher werden nicht müde, uns das Mantra der Flexibilisierung und totalen Mobilmachung herunterzubeten. Zyklisch wiederkehrend werden die „Neuen Nomaden" als Rollenmodell der Zukunft ausgerufen, in wechselndem Gewand, mal als hochmobile „digitale Amazonen", mal als kosmopolitische „Creative Class". Dabei bleibt das Bild ähnlich schwammig und unscharf wie das der Handelsreisenden im *Wüstenplaneten*, deren Körper sich als Reaktion auf das interstellare Vielfliegertum in teigige Quallen vewandeln.

Unter dem Titel „Einfach dableiben" beschreibt die *Frankfurter Allgemeine Sonntagszeitung* den gegenteiligen Trend, wenn man bei etwas so Statischem überhaupt von

Trend sprechen kann: „Tatsächlich neigt ein großer Teil der Bundesbürger zur Sesshaftigkeit, viele bleiben ihrem Geburtsort oder zumindest ihrer Heimatregion treu." Der mobile, stets auf gepackten Koffern sitzende Wanderarbeiter, so die Erkenntnis, ist eine Chimäre der Medien und ein herbeihalluzinierter Arbeitgeber-Wunschtraum. Dennoch setzt uns die Beschwörung dieses Typus unter Stress, weil wir glauben, uns an ihm messen zu müssen.

Sicher gab es Vertreibungen, Völkerwanderungen, die Auswanderungswelle in die USA. Heute gibt es Migrantenströme, Armutsflüchtlinge und Auswanderungsshows auf RTL II. Aber die wenigsten dieser Wanderbewegungen kommen aus freien Stücken in Gang. Meist sind Kriege, Klimawandel, Hunger oder die Aussicht auf ein besseres Leben der Auslöser. Fragt man die Menschen, wonach sie sich sehnen, dann steht „Irgendwo ankommen" hoch im Kurs. Selbst die Klasse der Kosmopoliten mit ihren Senator-Cards kennt die melancholische Sehnsucht nach Erdung, die einen angesichts des rastlosen Unterwegs-Seins als Business-Vielflieger beschleicht. Die Pet Shop Boys besingen sie in ihrer Yuppie-Hymne *Home and Dry*.

Irgendwas scheint uns jedoch vom Ankommen abzuhalten. Die meisten Menschen sind, wie die Band Element of Crime singt, zumindest gefühlt „immer unter Strom, immer unterwegs und überall zu spät". Als ob eine innere Ungeduld uns dazu zwingen würde.

Action bias

Warum fällt es uns in alltäglichen Situationen, in denen es nicht um Leben und Tod geht, oft so schwer, abzuwarten und stillzuhalten? Passivität führt uns unsere missliche Lage eindeutiger vor Augen oder macht sie uns erst vollends bewusst. Wir halten es schlicht nicht aus, dass nichts geschieht, wo ein Missstand offenkundig ist, die richtige Lösung aber im Dunkeln liegt – oder womöglich gar keine „richtige Lösung" existiert. Abwarten und Ausharren erfordert ungleich mehr Selbstdisziplin, als sich Hals über Kopf in Handlung zu stürzen, um nicht weiter nachdenken zu müssen.

Die menschliche Neigung, in unübersichtlichen Situationen aktionistisch zu handeln, auch wenn das Handeln unabsehbare und am Ende negative Folgen hat, wird im wissenschaftlichen Kontext „action bias" genannt. Das Wort „bias" – die Älteren kennen es noch vom Tape-Deck der Stereoanlage, wo es die Vormagnetisierung des Magnetbands bedeutete – meint die systematischen Fehleinschätzungen und typischen Abweichungen vom rationalen Handlungskalkül. Seit den späten 1970ern hat sich die Erforschung von „biases" zu einem der spannendsten Felder innerhalb der Wirtschaftswissenschaften entwickelt. Die Pioniere der neuen Verhaltensökonomie, Daniel Kahnemann, Amos Tversky und Dan Ariely, haben mit einer Reihe raffinierter psychologischer Experimente das Menschenbild des rationalen *Homo oeconomicus* so sturmreif geschossen, dass heute nicht mehr viel davon übrig ist. Die populäre Darstellung der wiederkehrenden Denkfehler, die sie akademisch beschrieben haben, sind eingesickert in die Wirtschaftsteile und Feuilletons der Tageszeitungen und stehen oben auf den Sachbuch-Bestsellerlisten. Die englischsprachige Wikipedia listet unter dem Stichwort „cognitive biases" weit über einhundert solcher Denkfehler auf, die sich teils überlappen, teils gegenseitig aufheben.

Man könnte den Action bias leicht für einen Kollateralschaden der hektischen Neuzeit halten, eine Art kulturelles oder zivilisatorisches ADHS. In der Antike genoss bekanntlich die Muße noch einen viel höheren Stellenwert, als Ausweis gehobener Bürgerlichkeit und finanzieller Autonomie. Erst in der Neuzeit wurde der Müßiggang als Faulheit gebrandmarkt, und die „protestantische Ethik" verlangte, dass ein jeder sich Gott zum Gefallen nach Kräften abstrampele. Neu hinzugekommen ist in jüngster Zeit, dass die Menschen die daraus resultierende Verausgabung stolz vor sich her tragen und sich mit ihrem Überarbeitet-sein sogar brüsten.

Diesen „Erschöpfungsstolz" hat Stephan Grünewald beobachtet; in seiner Funktion als Leiter des Rheingold-Marktforschungsinstituts ist er so etwas wie der Psychologe der Nation: „Früher war der Vertreter stolz auf seinen Abschluss oder der Tischler stolz auf sein Möbel. Heute sind viele Arbeitsprozesse so zerlegt, dass wir kaum Rückmeldungen bekommen. Stolz sind viele Menschen daher auf den Grad der Erschöpfung", fasst Grünewald im Interview seinen nationalpsychopathologischen Befund der *erschöpften Gesellschaft* zusammen, den er aus etwa

10 000 tiefenpsychologischen Gesprächen gewonnen hat: „Bei einem Werkstück bin ich zu Pausen gezwungen, sei es, weil die Farbe trocknen muss, ich Bedenkzeit brauche, die Werkstatt schließt. Heute sind wir rund um die Uhr betriebsam und haben so das Gefühl, etwas zu erreichen. Irgendwann aber hat man dann ständig Kopfschmerzen oder ist am Rande des Burnouts." Demnach wäre die „Überbetriebsamkeit", wie Grünewald sie nennt, eine Zivilisationskrankheit jüngeren Datums.

Tatsächlich aber ist das dem Action bias ursächliche Phänomen viel älter, wenn es uns nicht gar irgendwo tief in die DNA eingeschrieben ist. Die evolutionsbiologische Herleitung wählt auch Rolf Dobelli, der in seinem Brevier *Die Kunst des klaren Denkens* den Action bias als einen von 52 Denkfehlern behandelt, „die Sie besser anderen überlassen": „In einer Jäger-und-Sammler-Umgebung, für die wir optimiert sind, zahlt sich Aktivität viel stärker aus als Nachdenken. Blitzschnelles Reagieren war in der Vergangenheit überlebenswichtig. Nachdenken konnte tödlich sein." In einer komplexen Zivilisation mit abstrakten Bedrohungsszenarien hat der Action bias aber nicht selten katastrophale Konsequenzen.

Dobelli fasst die Lehre, die aus dem Action bias zu ziehen ist, so zusammen: „In unklaren Situationen verspüren wir den Impuls, etwas zu tun, irgendetwas – egal, ob es hilft oder nicht. Danach fühlen wir uns besser, selbst wenn sich nichts zum Besseren gewendet hat. Oft ist das Gegenteil der Fall. Kurzum, wir handeln tendenziell zu schnell und zu oft. Daher: Wenn die Situation unklar ist, unternehmen Sie nichts, gar nichts, bis Sie die

Situation besser einschätzen können. Halten Sie sich zurück."

Leichter gesagt, als getan.

Schnell zu handeln, irgendetwas anzuzetteln, um bloß nicht stillzustehen, gebietet die institutionelle Logik, in der jeder Verantwortungsträger sich durch dezisionistische Initiative hervortun muss. Wo wir hinschauen, können wir dem Action bias bei der Arbeit zuschauen. Oder besser gesagt: Ein erheblicher Anteil der täglich geleisteten Arbeitsstunden besteht aus schlecht begründeter, opportunistischer oder schlicht simulierter Aktivität. Sie ist bestenfalls unproduktiv: eine Verschwendung von Ressourcen, ein psychologisch begründeter Überaufwand, den sich Individuen, Organisationen und die Gesellschaft als Ganzes leisten. Schlimmstenfalls richtet sie individuellen und volkswirtschaftlichen Schaden an: weil sie negative Effekte produziert oder dadurch andere, sinnvollere Maßnahmen unterbleiben.

Schon Mediziner der Antike kannten das Prinzip *Ut aliquid fiat* – und verordneten sehenden Auges sinnlose Therapien und wirkungslose Medizin, „damit etwas getan wird". Um Kranken die unangenehme Botschaft zu ersparen, dass man im Augenblick nichts für sie tun kann, sie sich also je nach Schwere der Krankheit gedulden und auf die körpereigenen Selbstheilungskräfte vertrauen oder dem bevorstehenden Ende ins Auge sehen müssen, simuliert man Therapien, die nicht mehr sind als Beschäftigungsmaßnahmen, und verabreicht Medikamente, die nicht mehr sind als Placebos. Bis heute basieren große Teile des aufgeblähten Gesundheitssystems auf diesem Prinzip.

Wobei Placebo-Therapien immer noch den Vorzug haben, über die Psyche Wirksamkeit entfalten und einen Heilungsfortschritt bewirken zu können. Der Placeboeffekt, der in medizinischen Studien immer wieder belegt wird, scheint nach der Methode „Viel hilft viel" zu funktionieren: Größere Tabletten haben eine stärkere Wirkung als kleine, Infusionen eine stärkere als Tabletten und Operationen wirken stärker als Infusionen. Das ist gewissermaßen die produktive Seite des Action bias als psychosoziale (Auto-)Suggestion, als aktionistisches „double bind" zwischen Arzt und Patient.

Zerhackte Zeit

Schwerer wiegt, wenn Aktionismus zu Pseudolösungen für gravierende Probleme führt und Fehlentscheidungen nach sich zieht. Mehr noch als in der Medizin gilt das *Ut-aliquid-fiat*-Prinzip in der Politik. Von gewählten und amtierenden Volksvertretern erwartet man, dass sie Initiativen ergreifen, Reformen voranbringen und darüber Rechenschaft ablegen. Aber das politisch-mediale System setzt Anreize für einen hypertrophen Aktionismus, der plakative Schnellschüsse und symbolische Aktionen an die Stelle von „good governance" treten lässt. Was hat man Gerhard Schröder geprügelt, als er es zum Ende seiner ersten Kanzlerschaftsperiode 2001 wagte, seine Wirtschaftspolitik unter das Motto „Politik der ruhigen Hand" zu stellen?! Kurzerhand machte die Opposition eine „Politik der faulen Hand" daraus. Dabei antwortete die Ankündigung nur auf die triftige Analyse, dass seine Regierung nach Amtsantritt zu viele Reformprojekte zu schnell und zu wenig gründlich angestoßen hatte. Nach einer Bedenkzeit von zwei Jahren wurde die ruhige Hand abgelöst durch die vollmundigere und zupackendere „Agenda 2010". Abwarten und Innehalten – das ultimative „no-go" in einer hochgetakteten und auf schnelle Effekte gepolten politischen Landschaft.

In einem bemerkenswerten *Spiegel*-Artikel aus dem Januar 2011 beschreiben Markus Feldenkirchen und Dirk Kurbjuweit unter dem Titel „Die zerhackte Zeit" einmal grundsätzlich das Klima, in dem Regierungspolitik heute stattfindet, als medial und informationstechnologisch hochgezüchtete Todeszone, in der die Luft so dünn geworden ist, dass Kurzatmigkeit die unweigerliche Folge ist: „Das Leben hat sich beschleunigt, hat sich verdichtet. Mehr Ereignisse denn je verlangen nach Aufmerksamkeit, jede Stunde, jeden Tag, jede Woche. Dafür gibt es im Bereich der Politik drei Gründe: Es geht um neue Kommunikationstechnologien wie Internet und Handy. Es geht um eine verschärfte Globalisierung bei gleichzeitiger Hysterisierung der nationalen Politik. Es geht um einen gewachsenen Reformbedarf. Das alles zerhackt die Zeit und frisst die Energien der Politiker." Einmal abgesehen von der Frage, ob der „Reformbedarf" wirklich gewachsen ist, legt der Text den Finger in die richtige Wunde.

Hans-Jochen Vogel kommt darin zu Wort, der sich erinnert, wie sie seinerzeit unter Helmut Schmidt regiert hätten, nur mit Fernschreiber und Festnetztelefon ausgestattet. Und dass Entschlüsse wie bei der Euro-Rettung, die heute innerhalb von Stunden gefällt werden, damals „ein Prozess von Monaten, vielleicht Jahren gewesen" seien. Der Hirnforscher Gerhard Roth wird zitiert, Entscheidungen unter Zeitdruck, die nicht Routineentscheidungen seien, gingen „fast immer in die Hose", „ein Politiker, der in dichter Abfolge oder zeitgleich mit immer neuen Anliegen, Gesprächen, Nachrichten oder Informationen konfrontiert werde, könne kein guter Politiker sein." Und: „Auch die Gleichzeitigkeit von kleineren Problemen, eine gewisse Grundnervosität also, könne Menschen in Panik versetzen und das Ausschütten von Noradrenalin im Hirn bewirken, jenem Stoff, der das Denken ausschaltet."

Die Technik macht es möglich; der hochgetaktete mediale Feedback loop macht es nötig. Und täglich wird eine neue Sau durchs politische Dorf getrieben. Der Action bias in der Politik läuft auf ein ritualisiertes Hase-und-Igel-Spiel zwischen Regierung und Opposition hinaus, bei dem am Ende alle hinter ihren Möglichkeiten zurückbleiben.

Bullshit Bingo

Schlechte Voraussetzungen also für das Gelingen von Politik. Ähnlich verfahren sieht es in der Wirtschaft aus, wo Arbeitskraft und volkswirtschaftliche Ressourcen von sinn- und besinnungslosen Aktivitäten absorbiert werden. Ganz analog konstatiert Niklas Luhmann in einem hellsichtigen

Aufsatz von 1971 eine Zerhackung der Zeit durch die Reporting-Strukturen in hierarchischen Großorganisationen – und damals gab es weder Email noch SMS: „Im Zeitalter großer Organisationen ist Zeit knapp geworden. Zeitdruck ist eine verbreitete Erscheinung. Der Blick auf die Uhr und der Griff zum Terminkalender in der Tasche sind Routinebewegungen geworden. Die Verabredungsschwierigkeiten treiben die Telefonkosten in die Höhe. Schlichte rote Mappen (mit längst nicht mehr eiligem Inhalt), Eilt-Mappen, Eilt-sehr-Mappen bevölkern den Schreibtisch und seine Umgebung. Einige drängen sich durch ihre Lage mitten auf dem Schreibtisch und durch einen besonderen Zettel ‚Terminsache!‘ vor im Wettbewerb um Aufmerksamkeit. Die Orientierung an Fristen und fristbedingten Vordringlichkeiten bestimmt den Rhythmus der Arbeit und die Wahl ihrer Thematik.“

Als ehemaliger Verwaltungsbeamter weiß Luhmann, wovon er redet. Der Aufsatz trägt den schönen, zeitlos ragenden Titel: „Die Knappheit der Zeit und die Vordringlichkeit des Befristeten.“ Bei dem Allermeisten, was als Befristetes mit Blaulicht auf dem Standstreifen heranrauscht, handelt es sich um Vorgänge, nach denen schon bald kein Hahn mehr kräht, die nur innerhalb der Binnenlogik der Organisation eine zweckrationale Relevanz besitzen und deshalb auf Vordringlichkeit pochen können.

Es handelt sich mit anderen Worten um Bullshit. Bullshit nicht als undifferenziert despektierliche Schmähung, sondern angelehnt an die präzise philosophische Beschreibung von Harry G. Frankfurt als drittes Ding zwischen Lüge und Wahrheit, das allein einer opportunistischen

Logik gehorcht und sich epidemisch in Organisationen und in der Gesellschaft verbreitet. „Zu den auffälligsten Merkmalen unserer Kultur gehört die Tatsache, dass es viel Bullshit gibt", schreibt Frankfurt zum Auftakt seines jüngst berühmt gewordenen Essays *On Bullshit*, der ursprünglich aus dem Jahre 1985 stammt. „Jeder kennt Bullshit. Und jeder trägt sein Scherflein dazu bei." Politiker wissen, dass ein Großteil der Dinge, die sie verkünden und mit denen sie ihre Zeit verbringen, Bullshit ist. Angestellte wissen das auch. Sie tun es trotzdem.

Der britische Historiker und Soziologe Cyril Northcote Parkinson, der nichts mit der gleichnamigen Krankheit zu tun hat, hatte bereits Mitte des letzten Jahrhunderts amüsiert beobachtet, wie Bürokratien mit wachsender Größe dazu tendieren, sich mit sich selbst zu beschäftigen. Sie wachsen – Parkinson veranschlagt die Inflationsrate auf durchschnittlich 5 Prozent –, ohne dass die zu bewältigenden Aufgaben mitwachsen würden. Daraufhin formulierte er das Parkinson'sche Gesetz, das in Reinform lautet: „Jede Arbeit dehnt sich so lange aus, bis sie die dafür vorgesehene Zeit vollständig ausfüllt." Gerade bei Schreibtischarbeit bestehe bekanntlich ein sehr elastisches Verhältnis zwischen der Zahl der Personen, die sie erledigten, und den handfesten Resultaten. Faktoren, die die Ausdehnung der Arbeit und das Wachstum der Bürokratie beförderten, seien a), dass jeder Funktionsträger danach strebe, die Zahl seiner Untergebenen zu vergrößern, und b), dass Funktionsträger sich gegenseitig mit Arbeit versorgten.

Es gibt tausend Gründe und Motive dafür, Arbeit aus dem Nichts zu erschaffen: Budgetposten wollen verteidigt, die eigene Position soll abgesichert werden. Vorgesetzte, Aktionäre oder die Öffentlichkeit wollen besänftigt, Untätigkeit soll bemäntelt werden. Damit etwas geschieht, werden Maßnahmen ergriffen und Arbeitsaufträge verteilt. Gegenüber der eigentlich zu erledigenden Arbeit besitzen diese Aktivitäten meist kurzfristig höheres Gewicht und Priorität – „Prio eins"! Auch wenn diese Formen von Bullshit-Tätigkeiten Arbeit genannt und genau so, wenn nicht besser, bezahlt werden, sind sie doch das Gegenteil. Die produktive Arbeit hat Mühe, sich gegen ihren missratenen Zwilling zu behaupten. Wie grauer Schleim verstopft der „zeitkritisch" genannte Überaufwand die Poren unseres Arbeitstages und hält uns davon ab, weniger, aber dafür Richtiges und Wichtiges zu tun. Der Stein-Strategie zu folgen heißt auch, dem Bullshit zu entsagen, ihn anderen zu überlassen und das eigene Pulver trocken zu halten für bessere Zwecke, sinnvollere Aufgaben und passende Gelegenheiten.

Kurt von Hammerstein-Equord, ein deutscher Heeresoffizier des Ersten Weltkrieges, der während des Zweiten Weltkrieges wegen seiner negativen Einstellung gegenüber den Nazis von Hitler persönlich kaltgestellt wurde, schlägt ein hilfreiches Raster zur Einteilung von Offizieren vor. Seiner Anschauung nach träfen von den vier Grundeigenschaften klug, fleißig, dumm und faul meist zwei in einer Person zusammen, sodass sich ein Vierer-Raster ergibt: Die Dummen und Faulen, die in jeder Armee 90 Prozent ausmachten, seien für Routineaufgaben geeignet. Die Klugen und Fleißigen müssten in den Generalstab. Die, die klug und gleichzeitig faul sind jedoch, seien qualifiziert für die höchsten Führungsaufgaben, denn nur sie brächten „die geistige Klarheit und die Nervenstärke für schwere Entscheidungen" mit. Hüten müsse man sich hingegen vor den Dummen und Fleißigen. Denen dürfe man keine Verantwortung übertragen, denn sie würden „immer nur Unheil anrichten". Mit dieser Matrix können wir auch außerhalb des Militärs gut arbeiten – und es ist klar, welchem Quadranten wir als angehende oder praktizierende Stein-Strategen (nicht zu verwechseln mit → Freiherr vom Stein) uns zurechnen sollten.

Aktives Warten

Gern wird beklagt, dass das Scheitern so einen schlechten Ruf habe, dass es in Deutschland keine „Kultur des Scheiterns" gebe, anders als in den USA. Dann wird Samuel Becketts Posterspruch zitiert: „Wieder versuchen. Wieder scheitern. Besser scheitern." Man kann es schon fast mitbeten. Sicher ist Scheitern eine Ressource für wertvolle Erfahrungen. Aus Schaden wird man klug, was uns nicht tötet, macht uns hart, und Erfolg heißt einmal mehr aufstehen als hinfallen. Dem Scheitern und Straucheln wohnt etwas Heroisches inne. Henry Ford wird die Durchhalteparole zugeschrieben: „Die meisten Menschen scheitern nicht, sie geben auf."

Was aber bei dem Kult, der in den letzten Jahren um das Scheitern herum entstanden ist, aus dem Blick geriet, ist, dass Scheitern per se nichts Tolles, nichts Erstrebenswertes ist. Wenn man es vermeiden kann, sollte man es tun. Die Fans des aktiven Scheiterns sind oft jene, die dazu neigen, mit wehenden Fahnen in ihr Verderben zu rennen – mit Ansage und wider besseres Wissen. Es sind Heißsporne und ungeduldige Charaktere, die es nicht erwarten können, die nicht abwarten können, oder schlicht: die nicht warten können.

Aus einer überraschenden Ecke wurde kürzlich eine beachtliche Lanze für das aktive Abwarten und Hinauszögern gebrochen: Frank Partnoy ist Anwalt an der Wall Street, hat selbst als Investmentbanker gearbeitet und berät Firmen, die ihr Geschäft mit High-Frequency-Trading machen, also mit dem Wertpapierhandel im Millisekundenbereich. Sein unorthodoxes Buch *Wait*, das im US-amerikanischen Original den Untertitel „The Art and Science of Delay" trägt (in der späteren Ausgabe lautet er populistischer „The Useful Art of Procrastination"), zeigt weit ausholend, wo überall Warten über Schnelligkeit triumphiert: vom Profitennis, dessen wahre Könner einen Wimpernschlag länger zögern, bevor sie sich für eine Ecke entscheiden, über Comedy, die das Publikum in Rage bringt, indem die Pointen hinausgezögert werden, bis zur Medizin, in der Ärzte eine bessere Diagnose stellen, indem sie ihr abschließendes Urteil über den Patienten möglichst lange offenhalten und gegen die eigenen Routinen und Biases ankämpfen.

Selbst institutionelle Anleger, die in Sekundenbruchteilen Milliarden transferieren, sind laut Partnoy gut beraten, abseits des atemlosen Tagesgeschäfts zu pausieren, um sich auf langfristige Strategien festzulegen: „Es mag überraschen, dass auch die besten High-Frequency-Trading-Firmen Low-Frequency-Kulturen haben: Die Manager lassen ihre Computer in Lichtgeschwindigkeit handeln, während sie sich selbst zurücklehnen und strategisch über die Märkte nachdenken."

OODA heißt das zugehörige Prinzip, das für jegliche Strategieentscheidungen eine gute Blaupause liefert: „observe – orient – decide – act!", beobachten – orientieren – entscheiden – handeln! Meist wird dabei die wichtige Orientierungsphase verschlampt und aus dem paranoiden Antrieb heraus, nichts verpassen zu wollen, übersprungen. Die Fähigkeit und Bereitschaft, vor wichtigen Entscheidungen innezuhalten und sie in der Tiefe zu verstehen, trennt Trend-Opportunisten von guten Strategen. Partnoys Kernbotschaft in einem Satz lautet deshalb: „Die besten Profis verstehen, wie viel Zeit sie zur Verfügung haben, um eine Entscheidung zu fällen, unter Maßgabe dieses Zeitfensters warten sie dann, so lange sie irgend können."

Anleger-Legende Warren Buffett, den Partnoy als leuchtendes Beispiel anführt, scheint diese Prinzipien verinnerlicht zu haben. Wie kein Zweiter beherrscht er die Kunst des Lauerns, des Wartens, des langen Atems, was Buffett auch selbst immer wieder betont: „Wir werden nicht dafür bezahlt, dass wir schnell sind, sondern dass wir richtig liegen. Zur Frage, wie lange wir dabei abwarten: Wir warten unbestimmte Zeit." Die größte Selbstdisziplin erfordere es, all die verlockenden Investment-Optionen vorbeiziehen zu lassen, bis sich eine wirklich vielversprechende Chance auftut. Buffett vergleicht die Börse mit einem

Baseballspiel, bei dem man Ball um Ball vorbeiziehen lässt, bevor man sich zum Schlag entschließt, während das Publikum einen permanent anfeuert: „Jetzt schlag endlich!" Sein jüngster Coup, mit dem niemand gerechnet hätte, bestand Anfang 2013 darin, die Mehrheit am langweiligen Old-Economy-Unternehmen Heinz zu übernehmen – mit der entwaffnenden Begründung „Ich liebe Ketchup". Prompt schoss der Aktienkurs nach oben, weil die Börse auf den magischen „Buffett-Touch" vertraut.

Buffetts bodenständige Anlagestrategie besteht darin, wenige Deals abzuschließen und seine Beteiligungen lange zu halten. Sein Credo in einer Nussschale: „Beim Investieren korreliert Aktivität nicht mit Leistung." An anderer Stelle beschrieb er seine Investmentstrategie einmal als „Lethargie an der Grenze zum Faultierhaften". Eigentlich bestätigt er damit nur eine Börsen-Binsenweisheit namens „buy & hold", die weiland schon André Kostolany predigte: ein gut gemischtes Portfolio kaufen und lange liegen lassen! Wörtlich: „Wenn Du reich werden willst, dann kaufe Aktien und nimm Schlaftabletten – sieh erst zehn Jahre später nach, was daraus geworden ist!" Das allgemeine Wirtschaftswachstum wird schon für angemessenen Wertzuwachs sorgen; die Flut hebt alle Boote.

Zwar wird diese Überzeugung in letzter Zeit massiv von interessierter Seite angeschossen. Fondsmanager und Banken, die für ständiges Umschichten bezahlen lassen oder daran verdienen, dass Kunden ihr Portfolio selbst andauernd bewirtschaften, behaupten, in einem so volatilen Marktumfeld wie dem heutigen habe „buy & hold" ausgedient. Bisher hat aber niemand eine bessere Strategie gefunden. Patrick Bernau fasst im März 2013 in der *Frankfurter Allgemeinen Sonntagszeitung* den aktuellen Forschungsstand so zusammen: „Sicher ist: Mit Schlaftabletten vermehrt sich das Geld besser als ohne. Wache und agile Aktionäre schichten zwar ständig um, aber sie verdienen unter dem Strich trotzdem weniger Geld als jemand, der seine Investments möglichst lange liegen lässt."

Auch wenn es die Trader und Banker nicht wahrhaben wollen, hat Kostolany eine eherne ökonomische Wahrheit auf seiner Seite, die auch durch den irrationalen Überschwang der Finanzkrise nicht ausgehebelt wurde: Weil alle verfügbaren Informationen zu jedem Zeitpunkt bereits in die Kurse eingepreist sind, kann man mit seiner Strategie auf lange Sicht nichts falsch machen, sofern nicht die Weltwirtschaft zusammenbricht. Wie sich die einzelne Aktienposition entwickelt, ist per Definition „random walk", also Resultat einer ungewissen Zukunft, die auch die besten Analysten nicht kennen können – denn sonst wäre sie ja bereits eingepreist.

Dennoch unterliegen nicht nur Kleinanleger, sondern auch und gerade Fondsmanager der Versuchung, hektisch zu spekulieren, weil sie sich für klüger halten als der Markt. Dabei belegt eine wachsende Zahl von Studien, dass es nur den allerwenigsten aktiv gemanagten Fonds gelingt, entsprechende Indizes wie den DAX oder NIKKEI zu schlagen. Ihre Manager – und damit deren Anleger – unterliegen neben dem Action bias noch einer ganzen Latte systematischer Wahrnehmungsverzerrungen wie der Kontrollillusion, die sie glauben lässt, durch aktives Handeln positive Resultate zu erzielen.

Situationspotenziale

Einen anderen Markt-Magier mit Midas-Touch, Apple-Gründer Steve Jobs, schätzte man eigentlich vor allem für seinen Möglichkeitssinn und sein visionäres Zukunftsgespür. Neben diesen Ausnahmetalenten besaß aber auch Jobs die Gabe des klugen Abwartens, wie wir Richard Rumelts Buch *Good Strategy, Bad Strategy* entnehmen können. Rumelt berichtet von einem Gespräch mit Jobs im Jahr 1998, als dieser nach seiner Rückkehr als Geschäftsführer das Ruder bei Apple einigermaßen herumgerissen hatte, aber der Konzern sich immer noch in einer unkomfortablen Nische des PC-Marktes befand. Was denn seine Strategie angesichts der prekären Marktposition sei, wollte Rumelt wissen. Jobs erwiderte: „I am going to wait for the next big thing." Man könnte das für eine lapidare Standardantwort im Geiste der „kalifornischen Ideologie" halten: Easy, wir warten einfach auf die nächste große Welle. Für Rumelt aber ist sie ein Paradebeispiel für gutes strategisches Denken: Keine vollmundigen Zielverkündigungen, kein wolkiges Wunschdenken, vielmehr Ausdruck von gut abgehangener Klugheit und Demut vor der Zukunft.

Dazu passt, dass Steve Jobs sich seit seiner Collegezeit mit fernöstlicher Spiritualität befasste und vom Zen-Buddhismus inspirieren ließ. Auf der Suche nach einem philosophischen Überbau für die Stein-Strategie wird man am ehesten dort fündig: in den fernöstlichen Lehren und den geharkten Steingärten des Zen, deren Ästhetik vor über tausend Jahren von chinesischen Mönchen nach Japan importiert wurde. Die Grundprinzipien „Kanso" (Schlichtheit), „Shizen" (Natürlichkeit) und „Shibumi" (Eleganz) kennzeichnen nicht nur die Designsprache von Apple, sondern lassen sich als ethische Maximen im Sinne der Stein-Strategie auf das ganze Leben übertragen. Das Ideal heiterer Gelassenheit findet sich wieder in der schlichten Eleganz des wellenförmigen Kieses, das Ideal innerer Ruhe und individueller Kompaktheit in der Symbolik des einzelnen Kiesels.

Sicher könnte man auch die Tradition der Stoa bemühen, die aus ihrem pantheistischen Materialismus heraus bei vergleichbaren Empfehlungen für eine demütige und gelassene – eben: stoische – Lebensweise landet. Man könnte bei Seneca nachlesen, wie man „Gemütsruhe" erlangt, nämlich indem man aufhört, „nach Veränderung zu haschen, als wäre sie Abhilfe".

Man könnte Ovid heranzitieren, der noch davon ausging, dass die Menschheit von den Steinen abstammt und auf den der Spruch „Steter Tropfen höhlt den Stein" zurückgeht. Man könnte im Alten Testament der Bibel nachschlagen, wo Lots Frau zur Salzsäule erstarrte.

Nur würde man sich damit den semantischen Überschuss und die Spitzfindigkeiten der abendländischen Philosophiegeschichte einhandeln, wohingegen das Zen durch eine angenehme Inhaltslosigkeit besticht: Leere statt Lehre. Wie der Zen-Meister Ikkyū Sōjun zu einem Verzweifelten sagte: „Ich würde gerne irgendetwas anbieten, um Dir zu helfen, aber im Zen haben wir überhaupt nichts."

Andererseits sollte man es sich mit den Asiaten auch nicht zu einfach machen. Mittlerweile meditieren ja nicht nur Hippies und Hermann-Hesse-Jünger, auch Abteilungsleiter und Sparkassenangestellte praktizieren Yoga und zitieren Zen-Weisheiten. Die fernöstliche „Spiritualisierung der Ökonomie" oder *Manager-Dämmerung*, wie der Titel einer Anthologie von 1990 es treffend nennt, hatte ihren Urknall in den 1980ern und erreichte ihren Höhepunkt um die Jahrtausendwende. Rezipiert oder besser: re-interpretiert wurden dabei nicht nur die friedliebenden Lehren des Zen und die pragmatische konfuzianische Staatskunst, sondern auch die antike chinesische Kriegskunst, die 36 Strategeme und die Lehren von Sunzi oder Sun Tsu, dem ältesten Militärstrategiebuch der Welt. Findige Autoren übersetzten all das in handliche Sachbücher, die den Beisatz „(…) für Manager" im Titel trugen. Der Gemischtwarenladen war eröffnet und jeder konnte sich nach Gusto bedienen.

Anlass genug für den französischen Philosophen und Sinologen François Jullien, der einige Jahre selbst in China gelebt hatte, den westlichen Managern und ihren Vordenkern die Rübe zurechtzurücken. In einem *Vortrag vor Managern über Wirksamkeit und Effizienz in China und im Westen*, der 2006 auf Deutsch als Merve-Bändchen erschien, insistiert er auf einer fundamentalen Andersartigkeit des chinesischen Denkens, die in der Übersetzung regelmäßig verlorengeht: der Vorstellung davon, wie man Wirksamkeit erlangt.

Das Erfolgsrezept des Westens, das spätestens seit der Aufklärung seine ökonomisch-technologische Vormachtstellung begründet, wurde laut Jullien in der Antike ersonnen. Es basiert auf der Modellbildung und daraus abgeleiteter rationaler Planung: „Ich meine, die griechische Auffassung der Wirksamkeit lässt sich folgendermaßen zusammenfassen: Um wirksam zu sein, konstruiere ich eine ideale Modellform, für die ich einen Plan mache und der ich ein Ziel setze; dann mache ich mich daran, in Abhängigkeit von diesem Ziel zu handeln. Zuerst wird ein Modell erstellt, *dann* muss dieses Modell umgesetzt werden." Dem Idealbild des Feldherren folgend, der von seinem Hügel aus planvoll die großen strategischen Linien vorgibt, setzen auch Manager und Politiker ihre Vernunft und ihre Willensstärke ein, um ihren Plan gegen alle Widerstände durchzusetzen. „Umsetzung" meint immer auch das Bezwingen der widerspenstigen Wirklichkeit – und scheitert entsprechend oft an den Umständen.

Das chinesische Strategiedenken gehe dagegen von ganz anderen Begriffen und Konzepten aus: dem „Xing", was so viel bedeutet wie Situation, Konfiguration oder Terrain; und dem „Shi", was so viel meint wie das Potenzial der Situation. Ein fernöstlicher Stratege „wird also *von der Situation* ausgehen, und zwar nicht von der Situation, die ich zuvor modelliert habe, sondern vielmehr von der vorliegenden Situation, in der ich mich befinde und innerhalb derer ich versuche auszumachen, wo sich das Potenzial befindet und wie ich es ausnutzen kann". Die Wirksamkeit entfaltet sich viel subtiler und kräfteschonender, nicht mit der Brechstange, sondern mittels kleiner Anstöße – englisch: „nudges" –, die die in einer Situation und in den Beteiligten steckende Eigenenergie freisetzen.

Es geht, mit anderen Worten, darum zu erkennen, wann Situationen „Spitze auf Knopf stehen", darum, die Bifurkationslinien zu finden, von denen aus ein System in einen neuen Gleichgewichtszustand kippen kann – und es dann sachte anzustupsen. Robert Thaler und Cass Sunstein haben aus der Idee der minimalen Impulse in ihrem Buch *Nudge* das neue politische Paradigma des liberalen Paternalismus entwickelt, der Menschen mit geringfügigen Schubsern dazu bringt zu wollen, was sie sollen. Im Original, bei Sun Tsu, dem ältesten Ratgeber zur *Kunst des Krieges*, liest es sich so: „Der kluge Kämpfer achtet auf das Zusammenspiel der Kräfte und verlangt nicht zu viel von jedem Mann, seinen Fähigkeiten entsprechend. Von Unfähigen verlangt er keine Perfektion, Fähigen gibt er Verantwortung. Wenn er so sämtliche Energien kombiniert, wirken seine kämpfenden Männer wie rollende Baumstämme oder Felsen."

Folgt man diesen Hinweisen, dann verändert sich dadurch die Job-Beschreibung der Führungsperson mit Strategiekompetenz: weg von am Reißbrett oder in Powerpoint-Charts entworfenen, papierraschelnden Fünfjahresplänen und deren Umsetzung mit aller Macht. Statt dessen hinaus ins Feld! Das Terrain sondieren und die herrschenden Klimabedingungen studieren, um den richtigen Ansatzpunkt zu finden! Das Gras wachsen hören und wie ein Golfer, der vor seinem Put das Grün „liest", das Gefälle im Gelände ausnutzen!

Das Potenzial einer Situation ist hier durchaus physikalisch zu begreifen: als Lageenergie. Hat man die Situation richtig interpretiert und die herrschenden Kräfteverhältnisse akkurat eingeschätzt, braucht es nur noch einen minimalen Impuls, um den Stein ins Rollen zu bringen. Der Rest passiert dann von allein. Noch einmal Sun Tsu: „Denn es ist die Natur eines Baumstammes oder Felsblocks, reglos auf ebenem Grund zu liegen. Er wird nur rollen, wenn er an einen Abhang gerät. Wenn er kantig ist, bleibt er wiederum liegen, doch wenn er rund ist, rollt er hinab. So ist also die Energie von Kämpfern, die von einer guten Hand im Kampf geführt werden, wie die Energie eines runden Felsblocks, der einen tausend Fuß großen Berg hinunterrollt – das ist Kraft.“

Wu wei

Wo wir uns gerade in Ostasien aufhalten: Was wir aus dem Ideenpool des Zen für unsere Überlegungen zur Stein-Strategie gut gebrauchen können, sind das Primat der Praxis, die Konzentration auf alltägliche Verrichtungen, sowie das Ziel, Gelassenheit und innere Ausgeglichenheit zu erlangen. Im Taoismus, aus dem der Zen-Buddhismus hervorgegangen ist und aus dessen Repertoire er sich bedient, ist das wichtigste Konzept und eine der erstrebenswertesten Tugenden das „Wu wei“, was so viel bedeutet wie Nicht-Handeln, eher noch: Handeln durch Nicht-Handeln.

Dringt man tiefer in die Gedankenwelt des Taoismus ein, dann bedeutet „Wu wei“ – alle Müßiggänger, Slacker und Prokrastinierer müssen jetzt tapfer sein! – nicht Stillstand und Stagnation, Abschalten und Passivität. Vielmehr zielt es auf eine große Leichtigkeit in der Lebensführung, gepaart mit einer gesteigerten Achtsamkeit in alltäglichen Situationen: „Be here now" und „Go with the flow". Das geht natürlich am besten in koreanischen Bergklöstern, soll aber angeblich auch in Gesellschaft funktionieren, sogar inmitten der hektischen westlichen Zivilisation.

Und es heißt auch nicht, dass man zur Untätigkeit verdammt ist. Das Gegenteil ist der Fall, wie der Tao-Lehrmeister Theo Fischer in seiner deutschen Interpretation *Wu wei – Die Lebenskunst des Tao* schreibt: „In seinem tiefsten Sinne meint *wu wei,* wir sollen in unseren Entscheidungen nicht gegen unsere innere Autorität, eben das Tao, handeln. Herausforderungen des Lebens pflegen wir mit den unzulänglichen Mitteln unseres Intellektes, unserer Erfahrung zu begegnen. Damit pfuschen wir jedes Mal den unserem Denken nicht zugänglichen Kräften ins Handwerk, die unsere Probleme nicht nur besser lösen können, sondern sie auf eine ganz andere Art und Weise auszuloten imstande sind. Könnten wir lernen, dieses *wu wei* zu praktizieren, dann würden wir sofort aufhören, über unsere Probleme nachzugrübeln, sie zu analysieren und nach Lösungen zu forschen. Es genügt vollständig, uns das Problem ganz genau anzuschauen, ohne darüber nachzudenken, ohne Analyse. Den Rest können wir getrost dem Tao überlassen. Soweit unser direktes Eingreifen notwendig wird, empfangen wir den Handlungsanstoß spontan durch eine kräftige Intuition."

Zieht man einmal den esoterisch raunenden Überschuss ab, dann ist das genau das, was die aktuelle Psychologie und Verhaltensökonomie sagt. Je besser die Hirnphysiologie erforscht und das menschliche Entscheidungsverhal-

ten verstanden wird, desto deutlicher wird, dass der sogenannte „freie Wille" nur eine sehr dünne Firnis auf einem
weitgehend autonom funktionierenden Entscheidungs-
apparat ist. Dass das Bewusstsein mithin vergleichbar ist
der überforderten PR-Abteilung eines chaotischen Konzerns, die die Summe der kohärenten oder auch erratischen
Konzernaktivitäten und Machenschaften möglichst plausibel, glaubwürdig und überzeugend nach draußen an die
Öffentlichkeit bringen und als konsistente Strategie ver-
kaufen muss. Die Entscheidungen werden an anderer Stelle
gefällt.

Daniel Kahnemann, der einzige Psychologe, der jemals
mit einem Wirtschaftsnobelpreis geehrt wurde, nennt das
„System 1" und „System 2". System 1, der ältere Hirnteil,
zuständig für das „schnelle Denken", regelt die alltäglichen
Abläufe, Routinetätigkeiten und trifft auch die meisten
Entscheidungen „ohne unser Zutun" auf Basis von Erfah-
rungswerten. System 2, das jünger ist und mehr Blutsauer-
stoff verbraucht, ist das Bewusstsein, zuständig für „langsames Denken" und komplexe Entscheidungen. Es springt
nur dann an, wenn System 1 mit einer intuitiven Entscheidung überfordert ist und Alarm schlägt. Oder wenn die
Wahrnehmung meldet, dass beunruhigende, außerplanmäßige Umstände aufgetreten sind. Allerdings mahnt uns
Kahnemann, beiden zu misstrauen, den spontanen Impul-
sen von System 1 genauso wie den von System 2 moderier-
ten pseudo-rationalen Entscheidungen. Weil ihr Zusam-
menwirken nämlich – und der Action bias ist das beste
Beispiel – systematische Abweichungen vom rationalen
Verhalten produziert.

Gerd Gigerenzer, ein deutscher Psychologe, der viel zu intuitiven Entscheidungen geforscht hat, kann das bestätigen. Sogenannte „Bauchentscheidungen", die in Wahrheit natürlich aus den unbewussten Hirnregionen stammen, bringen nichts, wenn man sich nicht rational mit der Entscheidungsproblematik auseinandergesetzt hat. Genauso gut könnte man eine Münze werfen. Ebenso unbefriedigend fallen reine „Kopfentscheidungen" aus, die nur aufgrund rationaler Abwägungskalküle gefällt werden. Die besten Entscheidungen treffen wir, wenn wir möglichst viele entscheidungsrelevante Fakten intellektuell verarbeitet haben und uns dann intuitiv entscheiden.

Unser Unbewusstes – oder nennen wir es meinetwegen Tao – ist ein Meister darin, große Mengen an Komplexität für uns vorzuverdauen, uns die richtigen Hinweise zu liefern und Entscheidungen zu soufflieren. Selbst wenn wir scheinbar untätig oder abwesend sind, arbeitet es im Hintergrund, um zu Abwägungen zu gelangen und den richtigen Zeitpunkt zum Handeln für uns abzupassen. Wir sollten es machen lassen. Es kennt uns besser als wir selbst.

Was können wir in dieser Hinsicht von den Steinen lernen – abgesehen einmal vom Staying put, das sie in nachgerade unnachahmlicher Manier beherrschen? Steine neigen nicht zu blindem Aktionismus und überhasteten Entscheidungen. Sie erfinden sich nicht täglich neu als Blume, Fisch oder Schmetterling; sie bleiben sich treu und sind somit vorbildlich selbstidentisch. Steine setzen auf Kontinuität, sie folgen ihrer Eigengravitation und reagieren auf die Kräfte, die auf sie wirken, mit Beharrlichkeit und – wenn unumgänglich – geschmeidiger Anpassung.

In der langfristigen Betrachtung sind Steine ja längst nicht so statisch und „lapidar" (von lapis = der Stein), wie sie uns erscheinen. Für Eintagsfliegen sind Menschen auch so etwas wie Steine. Wind und Witterung verändern Felsformationen. Die Strömung des Baches schleift Kiesel rund. Orpheus konnte bekanntlich mit seinem Gesang Steine erweichen. Beton fließt, was Architekten und Bauingenieuren regelmäßig Kopfzerbrechen bereitet. Glas ist in Wahrheit ein sehr zähflüssiges Gel. Die Plattentektonik schiebt die Erdteile zusammen, bis irgendwann in 250 Millionen Jahren der Superkontinent *Pangaea Ultima* entsteht. In der Welt der Steine brauchen manche Dinge eben etwas länger; man kann ihnen jedenfalls nicht nachsagen, sie würden eine unangenehme Hektik verbreiten.

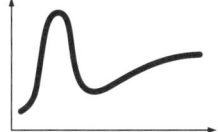

DON'T BELIEVE THE HYPE:

DIE KUNST DES
RUHE-BEWAHRENS

All change, please!

Nirgends ist die Kultur eines besinnungslosen Aktionismus so endemisch wie in den Führungsetagen der Wirtschaft. „Change" lautet das Mantra stetigen Wandels, „Innovation" der Refrain zum vorherrschenden Imperativ permanenter Veränderung. Andrew Grove, Gründer und lange Jahre Chef des Computerchip-Herstellers Intel, hatte Mitte der 1990er die Parole ausgegeben: *Only the paranoid survive*. Viele CEOs weltweit sind ihm gefolgt. Seither wird überall auf den Konzern-Galeeren die Schlagzahl erhöht und der Wandel vorangetrieben: Stillstand bedeutet Rückschritt, wer zu spät kommt, den bestraft das Leben, und den Letzten beißen die Hunde. Bezeichnend, dass auch die Samwer-Brüder, die in Berlin Start-up-Unternehmen wie am Fließband produzieren, indem sie erfolgreiche Geschäftsmodelle kopieren, Groves Ausspruch – so ist Anfang 2013 der *Berliner Zeitung* zu entnehmen – zu ihrem Motto erkoren haben: „Nur die Paranoiden überleben!"

Das aktuelle Schreckgespenst hört auf den Namen „disruptiver Wandel", gemeint sind jene seltenen, aber umso heimtückischeren technologischen Sprünge, nach denen buchstäblich kein Stein auf dem anderen bleibt. Einige Dinge, die früher analog waren, werden digital. Was digital ist, wandert vom stationären Rechner aufs Mobiltelefon. Jenseits von Internet und Mobile Web sind diese Sprünge selten, werden aber dennoch beschworen. Ein repräsentativer Titel der Zeitschrift *Harvard Business Manager* aus dem Februar 2013 etwa warnt: „Retten Sie ihr Geschäftsmodell. Vorsicht Disruption!" und verheißt „Die besten Strategien für stürmische Zeiten".

Im Genrebild des Industriekapitäns finden sich Topmanager ohnehin gern wieder: Von Unwetter umtost stehen sie alert im Friesennerz und mit Nordwester auf der Brücke, das Steuerrad fest im Griff, und lenken den Tanker durch die aufgewühlten Wellen des Wandels. Im oberen Management, unter den sogenannten Top-Entscheidern, gilt ungebrochen das Ideal des charismatischen Machers, der visionär den Kurs vorgibt und damit die Beharrungskräfte durchbricht, die in jeder Organisation walten. Der Luhmann-Fan Rainald Goetz hat mit seinem lang erwarteten Roman *Johann Holtrop*, der erkennbar durch den Ex-Bertelsmann-Manager Thomas Middelhoff inspiriert ist, ein schonungsloses Portrait dieses von Machtgier und Machbarkeitswahn zerfressenen Managertyps gezeichnet. Seinen Titelhelden nennt er einen „komplett entscheidungsverrückten, sprunghaften und rücksichtslosen Entscheidungshysteriker". Die einzig denkbare Steigerungsform dieses verbreiteten dezisionistischen Aktionismus als Qualifikation für Top-Führungspositionen wäre die positive Umdeutung von „Fanatismus", wie sie die NS-Propaganda im Dritten Reich vorgenommen hat.

Die neurophysiologischen Grundlagen von Hyperaktivität und Entscheidungshysterie unter Managern hören auf den Namen Adrenalinzyklus. Unter exogenem oder hausgemachtem Stress – immer schön paranoid bleiben! – schüttet der Körper das Hormon Adrenalin aus, um körpereigene Reserven zur Abwehr der Gefahrensituation zu mobilisieren. Ist die Situation erfolgreich gemeistert, wandelt sich das Adrenalin über das Belohnungshormon Endorphin in Testosteron, das dem mutigen Macher anzeigt, was für ein steiler Hecht er ist. Das Testosteron führt auch dazu, dass die Adrenalin-Depots wieder aufgefüllt werden. Bleiben die Erfolgserlebnisse aus, bewirkt der gesteigerte Adrenalinpegel hingegen irgendwann den Umschlag zum Anti-Stress-Hormon Cortisol, einer Art körpereigenem Schmerz- und Beruhigungsmittel. Es sediert und macht apathisch, lässt uns auf Dauer gestellte Belastungssituationen besser ertragen, aber steht auch mit der Modekrankheit Burnout in Zusammenhang. Der ständige Wandel in Unternehmen ist also auch eine testosterongetriebene Abwehrschlacht gegen das Cortisol.

Selbst ins mittlere Management, das aufgrund seiner inhärenten Trägheit lange Zeit als „Lehmschicht" apostrophiert wurde, ist die Botschaft von der Notwendigkeit der andauernden Neuerfindung mittlerweile eingesickert. In Carmen Losmanns verdienstvollem Dokumentarfilm *Work Hard, Play Hard* aus dem Jahr 2011, der den Kulturwandel oder vielmehr: die Change-Kultur der heutigen Angestelltenwelt zum Thema hat, begegnet uns eine subalterne Managerin der Deutsche Post AG mit dynamisch-asymmetrischer Kurzhaarfrisur, die als ihre Mission angibt, den „kulturellen Wandel nachhaltig in die DNA jedes einzelnen Mitarbeiters zu verpflanzen". In einem Workshop ausgewiesener „Change-Agenten" des Konzerns spekuliert sie darüber, ob es womöglich erst eine „burning platform" braucht, um die mentalen Voraussetzungen für ihr Unterfangen zu schaffen.

Solche Sätze, so gehirngewaschen sie auf der Kino-
leinwand erscheinen, fallen täglich hundertfach auf den
Büroruren und in Konferenzräumen der deutschen Wirtschaft. Niemals wird man hingegen in einem Entschei-
der-Meeting den Satz hören: „Wir wissen nicht, wie sich
die Dinge entwickeln. Es gibt zu viele Unwägbarkei-
ten. Deshalb warten wir lieber mal ab." Die Reporting-
Strukturen verlangen von jeder und jedem Einzelnen,
andauernd Rechenschaft darüber abzulegen, dass etwas
unternommen wird und nicht etwa nichts. Das ist ihre
Daseinsberechtigung: der Change muss gemanaged werden. Und weil in einer von Angst und Paranoia getriebe-
nen Kultur keiner allein verantwortlich sein mag, steht ein
Heer externer Berater parat, die sich für gutes Geld als
Coaches für das erforderliche „Change-Management"
buchen lassen.

In Sachbüchern und Seminaren, auf Konferenzen und
Kongressen verkünden sie die Botschaft vom zwingend
erforderlichen Wandel; „proaktiv" ist dabei eine ihrer Lieb-
lingsvokabeln. Um ein Gefühl für den Sound des permanenten Vollalarms zu bekommen, lassen wir wahllos, aber
exemplarisch, einen von ihnen, Klaus Schuster aus Öster-
reich, seines Zeichens Bestsellerautor und Management-
coach, zu Wort kommen. Und zwar warnt und mahnt er
auf der Website zehn.de in seinen „10 effektivsten Tipps
für das Change-Management": „Warte nicht, bis die Umstände dich zwingen! Reagiere nicht! Agiere pro-aktiv!
Wandle dich von selber. Hör genau zu, was Umstände,
Zielgruppen, deine Resultate, deine Frühwarn-Indikato-
ren, Share- und Stakeholder dir rückmelden. Fühl ständig

deren Puls. Schau nach, was es Neues bei anderen gibt. Frag dich, was du besser machen könntest. Und dann mach es, bevor du es musst!"

Von Füchsen und Igeln

Um Klarheit über die Richtung zu erlangen, die der Wandel annehmen soll, bucht man zudem Trend- und Zukunftsexperten. Sie sind die Schrittmacher und Stichwortgeber aktionistischer Management-Entscheidungen. Sie sind es, die mit höchster Dringlichkeit das Handeln-Müssen in einer bestimmten Richtung ausrufen. Wer ihnen opportunistisch folgt, kann sich hinterher zumindest darauf berufen, nicht träge, nur schlecht beraten gewesen zu sein. Aber wie gut sind die Zukunftsprognosen anerkannter Experten? Wie sehr kann und sollte man sich darauf verlassen?

Philip Tetlock, ein kalifornischer Psychologieprofessor, wollte es genau wissen. Seine gesamte akademische Laufbahn hat er dem Thema gewidmet. Mitte der 1980er – Michail Gorbatschow war gerade in der UdSSR an die Macht gekommen und kündigte seine „Perestroika"-Politik an, das geostrategische Prognosegeschäft bekam dadurch ein paar Freiheitsgrade mehr – startete Tetlock sein Langzeitexperiment und identifizierte 284 anerkannte Experten auf den Feldern Politik und Wirtschaft, von Journalisten bis Professoren. Wichtig war ihm, dass sie als öffentliche Kommentatoren in Erscheinung getreten waren und in irgendeiner Form als Berater Prognosen über politisch-ökonomische Trends abgaben. Dieser Gruppe schickte er Fragebögen zu, mit der Bitte, eindeutig entscheidbare Fragen über zukünftige Entwicklungen zu beantworten, etwa: „Wo steht der Ölpreis in zwei Jahren?" oder „Wie hoch schätzen Sie die Wahrscheinlichkeit ein, dass es innerhalb von fünf Jahren zu einem Krieg zwischen Indien und Pakistan kommt?" Unter Zusage von Anonymität glich er die Antworten dann mit den realen Entwicklungen ab und sammelte auf diese Weise über 20 Jahre hinweg knapp 25 000 Dateneinträge an belastbarer Empirie ein.

Die Ergebnisse, veröffentlicht 2005 im Buch *Expert Political Judgement*, sind ein Schlag ins Kontor der Expertenzunft. Im Großen und Ganzen war die Güte der Expertenprognosen nicht besser als der nackte Zufall. Das heißt, sie wären „von einem Dartpfeile werfenden Schimpansen geschlagen worden", wie Tetlock es formuliert. Aber nicht alle schnitten gleichermaßen schlecht ab. Tetlock teilt seine Experten in zwei Lager: Füchse und Igel. Die Unterscheidung geht zurück auf Isaiah Berlin, der sich wiederum auf ein altes griechisches Gedichtfragment bezieht, das lautet: „Der Fuchs weiß viele Dinge, der Igel ein großes Ding." Igel sind also diejenigen, die auf ein Thema abonniert sind und „eine große Idee" verfolgen, während Füchse eher über ein breites Wissen verfügen und sich durch eine größere Demut vor der Zukunft auszeichnen.

In Tetlocks Experiment schlugen die Füchse die Igel eindeutig, einfach aufgrund ihrer vorsichtigeren und abwägenden Prognosen. Die Igel hingegen lagen sogar umso

weiter daneben, je mehr die Prognose mit ihrem Spezial-
thema zu tun hatte. Aufgrund ihres großen Fachwissens
überschätzten sie systematisch sowohl ihre eigene Progno-
sefähigkeit als auch die durchschlagende Bedeutung ihres
Themas für die allgemeine Zukunft. Zur sprichwörtlichen
Betriebsblindheit tritt „overconfidence", überzogenes
Selbstbewusstsein.

Dummerweise sind es die selbstbewussten Igel, nicht
die abwägenden Füchse, die im Rennen um die mediale
Aufmerksamkeit die Nase vorn haben. Dan Gardner, der
in seinem Buch *Future Babble* mit Bezug auf Tetlocks
Experiment die atemberaubende Unzuverlässigkeit von
Expertenprognosen aufspießt und dem Phänomen nach-
geht, warum diesen Experten immer noch zugehört wird,
schreibt: „Die Menschen wollen Sicherheit. Das ist der psychologische Mehrwert von Expertenvorhersagen. Füchse
liefern sie seltener. Sie mögen die Zahl möglicher Zukünfte
einschränken und – vorsichtig – Wahrscheinlichkeiten an
jede einzelne heften, aber das *reduziert* nur die Unsicher-
heit, es eliminiert sie nicht. Igel dagegen *triefen* vor Selbstbewusstsein." Dieser überzogene Glaube an die eigene
Unfehlbarkeit ist gleichzeitig Voraussetzung, öffentlich als
Experte wahrgenommen zu werden, und die größte Feh-
lerquelle für Zukunftsprognosen.

Future Babble

Bei Licht besehen ist das keine große Überraschung. Experten, die auf ein Spezialgebiet abonniert sind, beispielsweise Social Media Marketing, bewegen sich in einer Blase: auf Internet-Konferenzen, Marketing-Kongressen etc. Dort treffen sie auf ihresgleichen: Menschen, die ebenfalls Social Media Marketing für den wichtigsten Trend aller Zeiten halten. „Groupthink" nennt man diesen Tunnelblick, der aus sozialer Ähnlichkeit entsteht: Experten gleichen Schlages bestätigen sich gegenseitig die Akkuratheit ihrer selektiven Weltwahrnehmung. Selbst die Veröffentlichungen, die man liest, die Menschen, denen man auf Twitter oder Facebook folgt, stammen meist aus dem Lager Gleichgesinnter. Der Web-Aktivist Eli Pariser hat für diesen Feedback loop den schönen Begriff „filter bubble" geprägt. Wir alle – und Experten in verschärfter Form – sitzen in einer Echokammer, die unser eigenes Weltbild stützt und ständig neu bestärkt.

Wenn dann die medialen Multiplikatoren hinzutreten und den notorisch nur mit seinem Thema befassten Experten wieder und wieder buchen und zu Wort kommen lassen, damit er seine erwartbaren Statements, O-Töne und Talkshow-Meinungen abgibt, verstärkt sich diese positive Feedback-Schleife: Was so viel mediale Aufmerksamkeit generiert, kann schlicht nicht verkehrt sein. Tausend Kameraaugen können nicht irren. Tetlock folgert: „Je größer die mediale Präsenz eines Experten, desto schlechter seine Vorhersagen." Merke: Hüte Dich vor den Vorhersagen von Igel-Experten, bekannt aus Presse, Funk und Fernsehen!

Der eigentlich überraschende Befund in diesem Zusammenhang ist jedoch, dass auch die Fuchs-Experten, die weniger Zuversicht in die eigene Prognosequalität verströmen und ergo besser gegen Overconfidence imprägniert scheinen, im größeren Kontext nur unwesentlich bessere Prognoseresultate liefern. Sie schlagen zwar den Zufall, das heißt, ihre Prognosen sind akkurater als die des Schimpansen, der Dartpfeile auf eine Wand mit Zukunftsszenarios wirft. Aber beide Lager, Füchse und Igel, verlieren, gegen die konservative Null-Hypothese, die bei Philip Tetlock „no-change rule" heißt.

Im Klartext: Wenn man immer davon ausgeht und darauf setzt, dass sich nichts verändert, fährt man im Schnitt besser, als wenn man auf Prognosen x-beliebiger Experten vertraut. Ein Stein-Experte, der – egal wie und komme, was da wolle – prognostiziert: „Alles bleibt, wie es ist", hätte eine höhere Trefferquote als Fuchs- und Igel-Experten zusammengenommen. (Natürlich hätte so jemand Probleme, in der allgemeinen Wahrnehmung als Experte anerkannt zu werden.) Bei allen, deren Geschäftsmodell darin besteht oder davon abhängt, Wetten auf die Zukunft einzugehen, müsste dieses Ergebnis einen heilsamen Gegenschock auslösen: gegen den allseits im hohen Ton des Alarmismus verkündeten „disruptiven Wandel".

Sicher, wir wissen, dass das nicht der Weisheit letzter Schluss sein kann. Es gibt immer wieder Neues unter der Sonne, und Dinge verändern sich. Würde es keine Menschen und Unternehmen geben, die das historische Situationspotenzial erkennen und Neues in die Welt bringen, befänden wir uns tatsächlich noch in der Steinzeit. Wir kennen auch die Menetekel von Firmen, die stur bei ihren Leisten geblieben sind, zu lange ihren Stiefel gefahren haben und deshalb vom Markt gefegt wurden. Eastman Kodak zum Beispiel, die 1888 die erste Fotokamera für Endverbraucher auf den Markt brachten, haben als Weltmarktführer über hundert Jahre gut gelebt von der Herstellung von Film- und Fotomaterialien – und darüber den Trend zur digitalen Fotografie verschlafen. Heute ist Kodak pleite. Der Konkurrent Fuji dagegen hat intelligent diversifiziert und ist kürzlich erst ins Kosmetikgeschäft eingestiegen. „Astaxanthin" heißt der aus der der Nanoforschung stammende Wirkstoff, mit dem Fujifilm den Markt für Hautpflegeprodukte aufrollen will.

Unbestreitbar gibt es Hinweise, dass Großunternehmen und Konzerne anfälliger gegenüber unerwarteten externen Schocks geworden sind. Generell nimmt die Halbwertzeit von Großorganisationen ab. Seit 1935 ist die Verweildauer im Standards-&-Poor's-500-Index, der Liste der größten US-Unternehmen, von durchschnittlich 90 Jahren auf 15 Jahre gesunken. Bis zum Jahr 2020 wird die Hälfte der heute noch gelisteten Unternehmen aus ihm verschwunden sein. Die Gefahr, durch unvorhersehbare Ereignisse – Finanzkrisen, Markttrends oder Technologiesprünge – aus der Kurve getragen zu werden, wächst also.

Wir kennen die mittlerweile kanonische Liste berühmter Fehlurteile von Branchen-Insidern, die in kaum einem Powerpoint-Vortrag zum Thema Wandel fehlen darf. „Wer zum Teufel will denn Schauspieler sprechen hören?", soll ein Chef der Warner-Bros.-Filmstudios 1927 angesichts der Erfindung des Tonfilms gesagt haben, „Ich denke, dass es einen Weltmarkt für vielleicht fünf Computer gibt", unkte ein IBM-Chef Watson 1948, als Computer noch Lagerhallen ausfüllten. Mit dem Ende des Kalten Krieges sei „the end of history" erreicht, alles, was jetzt noch komme, sei nur noch ein unbedeutender Nachklapp, prophezeite 1992 ein US-amerikanischer Politikwissenschaftler namens Fukuyama. Und so weiter.

Unbestreitbar, diese Sorte von Fehlurteilen künden von einer vogelstraußenhaften Ignoranz. Und sie zeugen von einer profunden Unfähigkeit, sich die Zukunft anders vorzustellen als eine lineare Fortschreibung der Gegenwart, als eine Vergangenheit in Grün. Aber, und das ist der entscheidende Punkt, sie sind nur die spektakulär anzuschauende Spitze eines Eisbergs falscher Prognosen. Im öffentlichen Diskurs dienen sie bloß dazu, vom großen Rest systematischer Fehlurteile abzulenken, der weithin unbemerkt unter der Wasseroberfläche dümpelt. Nämlich jene Fehleinschätzungen, die die Dynamik des Fortschritts überschätzen und über-optimistisch davon ausgehen, dass alles, was möglich und technisch machbar ist, bald schon im Mainstream angekommen sein wird.

Ein schönes Lehrbeispiel für ein Unternehmen, das auf den Hype hereingefallen ist und dadurch fast vom Markt gefegt worden wäre, ist Lego. Über Jahrzehnte stellte die schwedische Spielzeugmarke im Wesentlichen jene berühmten bunten Bausteine her, die der Tischler Ole Kirk Christiansen 1937 entwickelt hatte; damit hat Lego die

Fantasie zum Selber-Kombinieren angeregt und Generationen von Kindern glücklich gemacht. Als mit dem neuen Jahrtausend die Digitalisierung der Kinderzimmer begann, wollte die Firma aus Billund in Jütland unbedingt mittun, kaufte Star-Wars-Lizenzen und ließ Computerspiele entwickeln. Mit dem Ergebnis, dass Lego ins Straucheln geriet, rote Zahlen schrieb und hunderte von Arbeitsplätzen streichen musste. „Die Marke Lego, die bis dahin als Synonym für Kreativität und Spiellust stand, wurde arg beschädigt", schreibt rückblickend das *Handelsblatt* im Februar 2013. Erst der 2004 ernannte junge neue Firmenchef Jørgen Vig Knudstorp konnte die Marke wieder auf Kurs bringen, indem er in unermüdlichen Gesprächen mit Mitarbeitern und Kunden herausfand, dass „die Seele von Lego" verlorengegangen war. Daraufhin verschlankte er das Geschäft und entwickelte einen konsistenten Kurs der Rückbesinnung. In eigenen Lego-Shops kann man heute die bunten Bausteine sogar nach Gewicht kaufen. Der Umsatz wächst zweistellig, der Gewinn stieg 2012 um 40 Prozent: „Lego steht wie ein Klotz in der Brandung", schreibt das *Handelsblatt,* und „hat selbst im krisengeschüttelten Südeuropa zulegen können. Bei Kindern wird offensichtlich nicht gespart." Der Lego-Stein-Strategie sei Dank.

Zähflüssige Zukunft

Die Aufmerksamkeitsökonomie der Massenmedien bildet ein Umfeld, das Experten mit Hang zur – positiven oder negativen, utopischen oder apokalyptischen – Übertreibung begünstigt. „Hund beißt Mann" ist keine Nachricht, „Mann beißt Hund" ist eine. Im Zweifel gewinnt die abenteuerlichere, halsbrecherischere These. „Die Anreize sind so offensichtlich wie gewaltig", schreibt Dan Gardner: „Es winken TV-Beiträge, Zeitungsinterviews, hochdotierte Beraterverträge, die Aufmerksamkeit der breiten Öffentlichkeit und der wichtigen Entscheidungsträger." Der mediale Hunger für das Spektakuläre korrespondiert mit einem extremen Kurzzeitgedächtnis. Nichts ist älter als die Zeitung von gestern.

Das ist laut Gardner der Grund, weshalb die Medienlieblinge erstaunlich oft mit ihrer überzogenen Prophetie davonkommen, anstatt darauf festgenagelt zu werden – was kümmert die Öffentlichkeit ihr Geschwätz von gestern?

Die mediale Filter Bubble verstärkt das „future babble", das Zukunftsgewäsch. Die je aktuellen und medial verbreiteten Zukunftvisionen, zusammengesetzt als Puzzle von Expertenprognosen, sind damit nicht viel mehr als hysterisierte Abziehbilder der Gegenwart, während die reale Zukunft ein Stück die Straße runter in aller Regel viel unspektakulärer und vertrauter aussieht.

Neue Technologien kommen gewaltig, aber langsam. Wie es der Science-Fiction-Autor William Gibson weise formuliert hat: „Die Zukunft ist längst hier – sie ist nur noch nicht gleichmäßig verteilt." Die Fließgeschwindigkeit der Zukunft entspricht dabei eher der eines zähflüssigen Gels als der von Quecksilber. In der Regel dauert es länger, als Pioniere und Experten vermuten, bis Innovationen und Trends von einer – im doppelten Wortsinn – kritischen Masse angenommen werden und damit ihr gesellschaftliches und unternehmerisches Potenzial entfalten.

Oft hat man es dabei mit „Long fuse, big bang"-Phänomenen zu tun. Auf das Abbrennen einer langen Zündschnur folgt ein großer Knall. Der Trend selbst ist bekannt und birgt kein Geheimnis, bleibt aber lange hinter den Erwartungen zurück. Irgendwann, wenn man schon vermutet, die Lunte sei erloschen, explodiert er kommerziell. Bei Trends diesen „tipping point" vorherzusagen, den Umschlagpunkt, von dem an sich die Dinge sehr viel dynamischer entwickeln, ist die eigentliche Kunst. Die Überraschung steckt somit nicht im Trend selbst, sondern im Timing.

Die kurze Aufmerksamkeitsspanne der öffentlichen Wahrnehmung und die langsame Fließgeschwindigkeit von Trends vertragen sich nicht gut. Deshalb neigen wir dazu, die kurzfristigen Auswirkungen neuer Technologien zu überschätzen, während wir das langfristige Potenzial unterschätzen. Totgesagte leben länger: Just in dem Moment, da das Interesse einer zerstreuten Öffentlichkeit erlahmt ist und die medialen Scheinwerfer längst auf etwas anderes gerichtet sind, passiert doch noch das, womit niemand mehr gerechnet hätte.

Als Jackie Fenn, eine studierte Computerlinguistin, Mitte der 1990er Jahre zur IT-Beratungsfirma Gartner stieß, war ihr erstes Geschenk an den neuen Arbeitgeber, diesen Zusammenhang in einer schlichten, aber eingängigen Graphik zu systematisieren. Das Thema brannte ihr noch aus ihrem früheren Job als Technologieberaterin mit Schwerpunkt künstliche Intelligenz auf den Nägeln. Es ging ihr darum zu zeigen, nach welchem wiederkehrenden Muster sich aufkommende Technologien verbreiten. So entstand der Gartner Hype Cycle: Auf der x-Achse ist die Zeit ab Erfindung einer neuen Technologie abgetragen. Die y-Achse misst die öffentliche Aufmerksamkeit, die diese Technologie beanspruchen kann. Der typische Verlauf bildet das positive wie negative Überschießen der öffentlichen Erwartung ab und entspricht dem einer gedämpften Schwingung.

Zum Erfolg des Schaubildes trugen auch die schönen Namen bei, die Fenn für die einzelnen Phasen fand, die ein typischer Technologie-Hype bis zur Marktreife durchläuft: Nach einem „technologischen Auslöser" schießt die Kurve steil hinauf bis auf den „Gipfel überzogener Erwartungen". Es folgt der ebenso steile Absturz ins „Tal der Enttäuschungen", bevor es über den „Pfad der Erleuchtung" wieder flacher bergan geht, bis endlich das „Plateau der Produktivität" erreicht ist. Das Internet selbst ist ein gutes Beispiel für diese Dramaturgie: Nach den überzogenen Erwartungen und entsprechenden Aktienkursen in der New Economy kam der tiefe Absturz. Heute befinden wir uns anscheinend auf einem robusteren Wachstumspfad, der viele der Versprechungen von damals einlöst.

Jährlich wird die Fieberkurve der Technohysterie von Gartner aktualisiert. Vergleicht man die Jahrgänge, sieht man, wie die einzelnen Trends mit unterschiedlicher Geschwindigkeit voranrücken. Während 3D-Printing gerade den Hype-Gipfel erklommen hat, befindet sich 3D-Bioprinting noch im technologischen Nukleusstadium. Während Cloud Computing gerade den Abhang hinunterschliddert und virtuelle Welten noch tief im Tal der Tränen hängen, hat die Spracherkennung längst das produktive Plateau erklommen. Mittlerweile liegen angepasste Versionen für etliche Teilbranchen und Weltregionen vor. Bald 20 Jahre Nutzung des Cycles zeigen aber auch seine Grenzen auf. Einige Trends überholen andere, überspringen gar ein Stadium oder entpuppen sich nach anfänglichem Hype als komplette Rohrkrepierer.

Als Instrument der Prognostik taugt der Hype Cycle damit genauso bedingt wie traditionelle Hilfsmittel von der Kristallkugel bis zum Kaffeesatz. So wollte Jackie Fenn, mittlerweile Vizepräsidentin von Gartner, ihn allerdings auch nie verstanden wissen, eher als Werkzeug der Veranschaulichung und Bewusstmachung, als Hilfsmittel zur Mustererkennung. „Mach nicht mit, nur weil es in ist. Verpasse es nicht, nur weil es out ist", fasst sie die Botschaft ihres Tools zum Hinter-die-Ohren-Schreiben zusammen.

Setzt man diese Brille einmal auf, dann erkennt man das Muster überall, zum Beispiel hinter der zähflüssigen Durchsetzung von Elektroautos in Deutschland. Ein Sprecher des RWE-Konzerns gab im Februar 2013 gegenüber der *Welt am Sonntag* zu Protokoll: „Die anfängliche Euphorie hat der Elektromobilität nicht gutgetan. Jetzt übertreiben es viele mit dem Pessimismus." In Kenntnis des Hype Cycle kommt dieser Verlauf wenig überraschend.

Ron Sommer, ehemaliger Telekom-Chef und Börsenliebling, laboriert bis heute am wundersamen Aufstieg und Fall der von ihm lancierten Telekom-Volksaktie. Im April 2013 gesteht er gegenüber der *ZEIT*: „Ich habe vieles nicht verstanden, was damals passiert ist, weder die Steigerung auf hundert Euro noch den Fall auf acht Euro. Die enorme Dynamik rund um die T-Aktie war in beide Richtungen falsch." Ein Blick auf den Hype Cycle könnte ihm das Rätsel entschlüsseln helfen.

Gewohnheit rules

Woher aber kommt der Schlupf im System? Wie kommt es, dass sich die PS des Fortschritts so schlecht auf die Straße bringen lassen? Die simple Wahrheit im Hintergrund ist: Menschen mögen keinen Wandel. Besser: Sie tolerieren Wandel nur dann, wenn ein eindeutiger Nutzen und eine klar erkennbare Verbesserung ihrer Lebensumstände mit ihm einhergeht. Anders als Change-Manager und Berater ziehen sie keinen Nutzen aus der Veränderung um ihrer selbst willen, der Innovation als Selbstzweck.

Aller Marktforschung zum Trotz liegt die Floprate bei neu eingeführten Produkten auf einem historischen Allzeithoch. Eine gemeinsame Studie vom Markenverband, der Gesellschaft für Konsumforschung und der Brandingagentur Serviceplan aus dem Jahr 2006 kommt zum Ergebnis, dass zwei Drittel der neu eingeführten „fast moving consumer goods" (also allem, was es im Supermarkt gibt) schon nach einem Jahr wieder aus den Regalen verschwunden ist. Die Studie beziffert das dadurch entstandene Fehlinvestment auf 10 Milliarden Euro – und das ist nur auf Deutschland bezogen.

Menschen sind Gewohnheitstiere. Besonders allergisch reagieren sie deshalb, wenn etwas Bekanntes und Vertrautes ohne ersichtliche Not verändert wird und sie sich neu zurechtfinden müssen. Als der Social-Bookmarking-Dienst Digg im Sommer 2010 ankündigungslos ein Redesign der Website live schaltete und ein Mitarbeiter der Firma es im firmeneigenen Blog arglos als „nett" bezeichnete, hagelte es über 2500 geharnischte Kommentare. Ein treuer User etwa schrieb: „Nett – wenn mit nett kompletter Müll gemeint ist." Das war der Anfang vom Niedergang der Website. Auch wenn nicht jedes Facelifting derartige Abwehrreaktionen hervorruft, gilt: Es ist sehr viel leichter, treue Kunden durch ein verändertes Erscheinungsbild vor den Kopf zu stoßen, als neue damit zu gewinnen.

Die psychologische Erklärung ist relativ simpel und hört auf den Namen „mere exposure effect": Allein dadurch, dass wir Dingen „ausgesetzt" sind, dass wir etwas wieder und wieder sehen, wird es uns sympathischer. Jakob Nielsen, kontroverser Usability-Experte, Anwalt der Benutzerfreundlichkeit und Streiter gegen jeden unnützen Schnickschnack im Web, erklärt diesen Gewöhnungseffekt, mal wieder evolutionsbiologisch, so: „Der Mere-Exposure-Effekt ist vermutlich entstanden, um den ersten

Humanoiden zu erleichtern, mit ihrer Umgebung zurechtzukommèn: Sie mochten Mitglieder ihres eigenen Stammes und nicht die von anderen, sie fühlten sich auf vertrautem Grund wohler als in der Fremde. Und sie aßen lieber Nahrung, die ihnen bekannt vorkam. Alles gute Überlebensinstinkte, die sich deshalb bis in unsere Generation fortgepflanzt haben."

Wenn das allerdings die ganze Geschichte wäre, hätte es seit der Steinzeit keinen Fortschritt geben dürfen. Es brauchte also jemanden mit guter Intuition, der das Feuer und das Rad, später das Auto und den iPod erfand – und diese Innovationen den Stammesgenossen ungefragt vorsetzte, im Vertrauen darauf, dass sie die Nützlichkeit schon erkennen würden. Henry Ford, der das Fließband erfand, um das Auto zum Massenartikel zu machen, wird der Satz zugeschrieben: „Wenn ich die Menschen gefragt hätte, was sie wollen, hätten sie gesagt: schnellere Pferde." Und Steve Jobs, der Henry Ford des 21. Jahrhunderts, sekundiert: „It's not the customer's job to know what they want." Das sind die Heldengeschichten der Schumpeter'-schen „kreativen Zerstörer", die mit unbestechlichem Möglichkeitssinn antizipieren, was Kunden haben wollen könnten, von dem sie es selbst noch nicht wissen, die heroisch Innovationen ins Werk setzen und damit ganze Märkte volley nehmen.

Advantage: second mouse

Doch man sieht nur die im Lichte, die im Dunkeln sieht man nicht. Innovationen sind ein zweischneidiges Schwert, und die meisten von ihnen floppen, je nach Branche 70 bis 80 Prozent. Auch ganze Unternehmen können floppen, nachdem sie die Tür zu einem neuen Markt aufgestoßen haben. Aus dem Radsport wissen wir, dass die, die vorpreschen, meist nicht diejenigen sind, die am Ende den Sieg einfahren. Während sich die Tempomacher verausgaben, schonen die Siegfahrer im Windschatten ihre Ressourcen. Dasselbe gilt in der Wirtschaft. Die Pioniere in einem Feld sind meist nicht diejenigen, die am Ende triumphieren und den größten Gewinn abschöpfen. Oft geraten Firmen, die anfangs eine Monopolstellung innehaben, irgendwann ins Straucheln und werden von Nachzüglern überholt.

AOL war der erste Onlinedienst, der einer breiten Masse in den USA und Europa den Zugang ins Internet ermöglichte. Um die Jahrtausendwende war AOL mit über 30 Millionen Kunden der größte Internetanbieter der Welt. Irgendwann verlor die mündig gewordene Masse die Lust daran, mit einer eigenen Software online gehen zu müssen, um dort einen hübsch gejäteten Vorgarten statt des wahren Internetdschungels vorzufinden. Heute ist AOL ein Schatten seiner selbst.

Diners Club, 1950 gegründet, war das erste Unternehmen weltweit, das eine international akzeptierte Kreditkarte als eigenständige Dienstleistung anbot. Doch während Diners Club sich aus seinen Anfängen heraus stets an eine prestigeträchtige Klientel kosmopolitischer Geschäftsleute und Vielreisender richtete, teilten American Express, später Visa und MasterCard den wachsenden Weltmarkt für Konsumenten-Kreditkarten unter sich auf. Heute ist Diners Club kein nennenswerter Player mehr.

Der frühe Vogel fängt den Wurm, aber die zweite Maus bekommt den Käse. Die Vormachtstellung, die man als Pionier innehat, trägt den Keim des Scheiterns bereits in sich. Dem unbestreitbaren „first mover advantage" steht eine Reihe von „first mover disadvantages" gegenüber: Vorn ist bekanntlich da, wo sich keiner auskennt. Der Vorreiter muss alle design-, marketing- und servicetechnischen Fallstricke des neuen Marktsegments meistern, ohne sich auf etablierte Standards stützen zu können. Nachzügler und Trittbrettfahrer können sein Straucheln beobachten und aus seinen Fehltritten die richtigen Schlüsse ziehen. Nicht zuletzt bringt der frühe Erfolg eine Fixierung auf das bestehende Geschäftsmodell und die damit erreichte Kundenbasis mit sich – was den Blick auf neue Zielgruppensegmente verstellt, die jenseits der eigenen Stammklientel liegen.

Dem Management solcher Firmen ist deshalb nicht einmal ein Vorwurf zu machen. Es gibt Konstellationen, in denen man als Pionier nach allen Regeln der Managementkunst alles richtig machen kann und dennoch vom Markt überrollt wird, wie Clayton Christensen in seinem Buch *The Innovator's Dilemma* schreibt: „Gerade *weil* diese Firmen auf ihre Kunden gehört und aggressiv in neue Technologien investiert haben, die diesen Kunden mehr und bessere Produkte der gewünschten Sorte bescherten, weil sie zudem sorgfältig die Markttrends studiert und Ressourcen dort investiert haben, wo sie die größten Erträge versprachen, haben sie ihre Führungsposition verspielt."

Shock of the old

Man muss unterscheiden. Natürlich gibt es Märkte, die so stark durch technologischen Wandel getrieben sind, dass an Innovationen scheinbar kein Weg vorbeiführt. Das gesamte Segment Computer und Verbraucherelektronik gehört zweifellos dazu. Aber auch in diesem hochdynamischen Feld gibt es Inseln, die sich dem wohlfeilen Fortschritt beharrlich widersetzen. Und es gibt Fortschritt auf ganz traditionellen Feldern, wo man ihn nicht vermutet.

Trotz Internet bleibt das Fernsehen weltweit das wichtigste Informations- und Werbemedium. Gerade in Entwicklungs- und Schwellenländern kommt die Anschaffung eines eigenen TV-Gerätes vor der eines Computers, und es gibt einen weltweiten Boom privater Sender. Selbst in der EU wächst der durchschnittliche tägliche Fernsehkonsum weiter an, auf 232 Minuten im Jahr 2012. Die Radionutzung nimmt in allen Altersgruppen zu, vor allem bei den jungen Zielgruppen. Laut aktuellen Zahlen der Arbeitsgemeinschaft Media-Analyse erreicht das Medium Radio am Tag 80 Prozent der Bevölkerung, und die durchschnittliche Nutzungsdauer liegt stabil bei 199 Minuten täglich.

In Subsahara-Afrika hat sich auf Basis des SMS-Standards eine Art Low-Fi-Internet etabliert. Per Pull-Funktion können Landwirte dort lokale Wetterdaten abrufen, Malaria- oder HIV-Patienten können sich durch das Senden eines Zahlencodes die Echtheit von Medikamenten bestätigen lassen. Selbst Bankgeschäfte werden dort in großem Stil über das auf SMS aufsetzende M-Pesa-System abgewickelt.

In Deutschland wächst und gedeiht unbemerkt Teletext, das Informationsfossil aus den 1970er Jahren. Über 15 Millionen Deutsche steuern täglich die Informationsseiten mit der kargen Graphik an. „Eine absurde Entwicklung: Während Zeitungen massenhaft Leser an Online-Angebote verlieren und die etablierten TV-Sender Zuschauer an digitale Wettbewerber, meldet das prähistorische Medium Teletext stabile Nutzerzahlen und neue Angebote", schreibt die *Financial Times Deutschland* im November 2012 und zitiert Matthias Büchs, den Bereichsleiter Online und Teletext bei RTL, mit: „Die Deutschen lieben ihren Teletext." Wegen des großen Erfolges hat der Österreichische Staatssender ORF kürzlich sogar einen Service gestartet, der den Teletext aufs Smartphone bringt. Unter teletext.orf.at können die klobigen Inhalte, die eins zu eins wie aus dem Röhrenfernseher anmuten, mobil abgerufen werden. Das Angebot wird anscheinend rege genutzt.

Selbst die „Gelben Seiten", jene kiloschwere Schwarte mit Branchenadressen, die mit dem Telefonbuch an alle Haushalte mit Festnetzanschluss ausgeliefert wird oder palettenweise auf Postämtern herumsteht, sind trotz der Konkurrenz durch das Internet noch ein funktionierendes

Geschäftsmodell. 55 Millionen Exemplare werden jährlich davon gedruckt, die meisten davon landen direkt im Altpapier. Laut Angaben der *Welt am Sonntag* im Juli 2012 setzt die Branche der Branchenverzeichnisse rund 1,2 Milliarden Euro jährlich um, „und das relativ konstant bei sinkenden Nutzerzahlen". Angeblich nutzen noch knapp 80 Prozent der Deutschen gern Nachschlageverzeichnisse auf Papier. Zudem laufe die App der Gelben Seiten auf über einer Million Smartphones.

Am anderen Ende der Innovationsskala gibt es Produkte, die hergestellt werden wie vor hundert Jahren – und Firmen, die gut davon leben, sich jedem Erneuerungsdruck hartnäckig zu widersetzen. Sie profitieren vom Luxus des Unzeitgemäßen, indem sie alte Handwerkstechniken und Herstellungsverfahren konservieren, die nach der Logik industrieller Massenproduktion obsolet erscheinen. Manufakturen und alte Gewerke wie Täschner, Sattler oder Kürschner erleben eine Renaissance. Der Manufactum-Katalog versammelt hunderte von Produkten aus kleinen Betrieben mit traditioneller Herstellung unter dem Rubrum „Es gibt sie noch, die guten Dinge". Mitunter wird die Immunität gegen jede Form der Veränderung gar zum Ausweis für überlegene Qualität. So wirbt die Luxusuhren-Manufaktur Vacheron Constantin mit dem Slogan: „Founded in 1755, on an island in Lake Geneva, and still there." Überhaupt ist die Renaissance mechanischer Uhren im Zeitalter von Quarz- und Digitaluhren ein eindrücklicher Beleg für die Beharrungskräfte alter Technologien, die nie gänzlich durch neue ersetzt und verdrängt werden.

Als die britische Radiostation BBC 4 im Jahr 2005 ihre Hörer befragte, welches die beste Erfindung aller Zeiten sei, gewann mit absoluter Mehrheit von 59 Prozent: das Fahrrad. Das Internet landete mit 4 Prozent der Stimmen abgeschlagen auf Platz sieben.

Will sagen: Arthur Rimbauds avantgardistische Forderung „Il faut être absolut moderne!", man möge absolut modern sein, mag für die Kunst ihre Berechtigung haben – im Alltag und in der realen Geschichte wird kein Schuh daraus. Die Gegenwart ist immer ein Amalgam aus einer Zukunft, die noch nicht gleichmäßig verteilt ist, und einer Vergangenheit, die nicht vergangen sein will. Mehr jedoch Letzteres. Rolf Dobelli beschreibt in seinem neuesten Buch *Die Kunst des klugen Handelns* die Manie für das Neue – in Anlehnung an Nassim Nicolas Taleb die „Neomanie" – als einen der typischen Irrwege, die man besser anderen überlassen sollte: „Jede Gesellschaft, die sich ihre Zukunft vorstellt, legt viel zu viel Gewicht auf die momentan heißesten Erfindungen, die aktuellen ‚Killer Apps'. Und jede Gesellschaft unterschätzt die Rolle althergebrachter Technologien. Die 60er Jahre gehörten der Raumfahrt, also malten wir uns Schulklassenfahrten auf den Mars aus. In den 70er Jahren war Plastik angesagt. Also, dachten wir, würden wir in Zukunft in Plastikhäusern leben. Wir überschätzen systematisch die Rolle des Neuen."

Das ist die Botschaft, die uns auch der britische Technik-Historiker David Edgerton mit seinem Augen öffnenden Buch *The Shock of the Old* vermitteln will: Wenn wir immer nur auf Innovationen starren, weil sie neu sind, statt darauf, wie sie benutzt werden, verfehlen wir den Punkt.

Meist vergehen zwischen der Erfindung einer neuen Technologie und dem Höhepunkt ihres Gebrauchs Jahrzehnte, wenn nicht Jahrhunderte. Oft steckt in arrivierten Technologien auch heute noch mehr Potenzial als in medial hoch gehandelten Neuentdeckungen aus High-Tech-Labors. Ein Potenzial, das laut Edgerton verschenkt wird, weil uns allen zu viel Futurologie in den Knochen steckt: „In der New Economy, der neuen Zeit, in unserer postindustriellen und postmodernen Befindlichkeit ist anscheinend das Wissen um die Vergangenheit und Gegenwart immer weniger relevant. Selbst in der Postmoderne sind die Innovatoren ‚ihrer Zeit voraus‘, während die Gesellschaft noch im Klammergriff der Vergangenheit steckt, was der angebliche Grund dafür ist, dass sie neue Technologien so langsam adaptiert." Und nur zur Erinnerung: „Es gibt immer noch Busse, Züge, Radios, Fernseher und das Kino, und wir konsumieren immer größere Mengen Papier, Zement und Stahl. Die Produktion von Büchern wächst."

Viele der wichtigsten Technologien des 20. Jahrhunderts waren lange vor 1900 entdeckt. Und so wird es im 21. Jahrhundert auch sein. Edgerton plädiert dafür, sich die Freiheit zu bewahren, auch in den Feldern nach Innovationen zu suchen, die von den Agenten eines „überholten futuristischen Denkens" als „out of date" betrachtet werden – und im Übrigen „kritisch zu sein gegenüber den Hypes", die die kapitalintensive Suche nach Innovationen flankieren.

Auch wenn wir Expertenprognosen, die die Zukunft betreffen, grundsätzlich misstrauen sollten – eine einfache

Faustregel als Remedur gegen die Neomanie bietet der Mathematiker, Philosoph und Erfinder der „Schwarzen Schwäne" Nassim Nicholas Taleb in seinem Opus Magnum *Antifragilität* an – der schöne Untertitel des amerikanischen Originals lautet: „How to Live in a World We Don't Understand". Technologien, die es schon seit über 50 Jahren gibt, werden auch in 50 Jahren noch Bestand haben. Bei deutlich jüngeren Technologien sollten wir davon ausgehen, dass das meiste vom „Bullshit-Filter der Geschichte" ausgesiebt wird. Die Zukunft in 50 Jahren wird also in vielem so aussehen wie die Gegenwart. Daneben wird es auch weiterhin Schwarze Schwäne geben, ausgesprochen unwahrscheinliche Ereignisse, die niemand vorhersehen konnte, die eine Delle ins Universum schlagen und dem Lauf der Geschichte eine neue Wendung geben. Wir sollten uns innerlich dafür wappnen, dass Ereignisse dieser Kategorie möglich sind, aber wir sollten gar nicht erst versuchen, sie zu prognostizieren, denn das ist – zumindest nach der Definition von Taleb – ein Ding der Unmöglichkeit. Oder, mit ALF, dem zotteligen Alien aus der Fernsehserie: Was man nicht reparieren kann, das ist auch nicht kaputt.

Boring times

Das wirft auch ein neues Licht auf die Frage, ob wir wirklich in so bewegten Zeiten leben, wie wir meinen. Sämtliche Manager, jeder Politiker, die meisten Berater, Experten und Kommentatoren werden einstimmen, dass in der gegenwärtigen Welt die einzige Konstante der Wandel ist, dass das Tempo dieses Wandels ein nie gekanntes Ausmaß erreicht hat und dass die Schlagzahl der Innovationszyklen sich ständig erhöht.

Man kann die Geschichte aber auch andersherum erzählen. „Will we ever invent anything this useful again?", fragt der *Economist* vom 12. Januar 2013. Auf dem Cover abgebildet: Rodins Denker auf einem handelsüblichen Wasserklosett hockend. Ernstgemeinter Aufhänger: eine anschwellende Debatte darüber, ob sich das Innovationstempo insgesamt verlangsamt hat. Trotz weltweiter Forschungs- und Entwicklungsausgaben in Rekordhöhe „kam in letzter Zeit niemand mit einer Innovation um die Ecke, die nur halb so nützlich gewesen wäre wie die auf unserem Cover abgebildete", heißt es im Aufmachertext: „Mit seiner klaren Linienführung und dem intuitiv zu bedienenden User Interface hat das bescheidene Klo das Leben von Milliarden von Menschen nachhaltig transformiert. Und es waren nicht nur moderne Sanitäreinrichtungen, die Hirne des späten 19. und frühen 20. Jahrhunderts ausgebrütet haben: Sie produzierten Autos, Flugzeuge, das Telefon, das Radio und Antibiotika."

Tatsächlich, wenn man darüber nachdenkt, was unsere Zeit an grundstürzenden Innovationen hervorgebracht hat, fallen einem sofort Computer, die Digitalisierung und das Internet ein – und dann lange Zeit nichts. Angestoßen hat die Debatte ausgerechnet das „poster child" des neuen Internet-Booms Peter Thiel, der nach seinem Philosophiestudium den Bezahldienst PayPal mitbegründet hat, lange Jahre dessen Chef war und als Venture Capitalist mit einer frühen Facebook-Beteiligung Milliarden verdient hat. Wenn so jemand feststellt, dass die Innovationstätigkeit quasi zum Erliegen gekommen ist und „the end of the future" an die Wand malt – so geschehen in einem gleichnamigen Essay aus dem Oktober 2011 –, horcht nicht nur die Internet-Öffentlichkeit auf.

Thiel beklagt unter anderem, dass die Reisegeschwindigkeit nicht mehr zunehme – seit der Abschaffung der Concorde im Jahr 2003 sind nicht einmal mehr Überschallflüge möglich –, dass die Versprechen der Biotechnologie auf medizinische Durchbrüche sich in Luft aufgelöst hätten – eine wirksame Krebstherapie ist nach wie vor nicht in Sicht –, dass selbst die dynamische Entwicklung von Rechnerkapazitäten und der Internet-Boom sich nicht in den ökonomischen Wachstumszahlen der USA niederschlage. „Wir wollten fliegende Autos, und alles, was wir bekamen, sind 140 Zeichen", resümiert Thiel an anderer Stelle und spielt damit auf die begrenzte Zeichenzahl bei Twitter und in erweitertem Sinne auf die begrenzte Reichweite von Web-Innovationen an.

In dieselbe Kerbe schlägt Michael Lind vom Thinktank New America Foundation: „De facto hatten die Gadgets des Informationszeitalters nicht entfernt die transformatorischen Effekte auf Leben und Wirtschaft wie elektrisches Licht, Kühlschränke, Gas- und Elektroherde und die Innentoilette. Ist die Kombination aus Telefon, Videobildschirm und Tastatur wirklich so revolutionär, wie es das originale Telefon, das originale Fernsehen und die originale Schreibmaschine waren?" Sein Text, erschienen im

März 2010 im *Time Magazine,* trägt den schönen Titel
„The Boring Age".

Mag sein, dass die Analysen Thiels und Linds übertrie-
ben sind. (Der Frage, was eigentlich so schlimm daran
wäre, in langweiligen Zeiten zu leben, widmen wir uns
noch einmal im fünften Kapitel.) Für den Moment bleibt
immerhin festzuhalten: Wahrscheinlich trügt der Eindruck, dass wir in besonders bewegten, schnelllebigen,
dynamischen und aufregenden Zeiten leben. Vermutlich
handelt es sich bei dieser subjektiven und kollektiven
Wahrnehmung um eine Form der „Gegenwartseitelkeit",
wie es der Zukunftsforscher Matthias Horx nennt: die
Überzeugung, einen exponierten Platz in der Geschichte
einzunehmen, an dem die Dinge eskalieren und sich dramatisch zuspitzen.

Selbst die psychosomatischen Reaktionen, die die gefühlte Beschleunigung, der Stress und die Überforderung
der modernen Existenz mit sich bringen, sind keineswegs
neu. Die epidemische Modekrankheit „Burnout-Syndrom"
mit ihren Symptomen Erschöpfung, Abgeschlagenheit,
Überreiztheit war vor exakt einem Jahrhundert ähnlich
verbreitet wie heute. Damals nannte man es „Neurasthenie", und jeder europäische Großstadtbewohner, der sich
etwas auf seine Modernität einbildete und es sich leisten
konnte, litt darunter.

Was folgt daraus: Seien Sie misstrauisch gegenüber dem
Imperativ des Wandels, gegenüber Change um des Chan-
ges willen! Trends werden nicht so heiß gegessen, wie sie
angerührt werden. Die Zukunft läuft Ihnen nicht weg. Sie
müssen nicht opportunistisch auf jeden ausgerufenen

Trend aufspringen. Glauben Sie nicht an den Hype! Gehen Sie einfach gelassen Ihren Geschäften nach! Vielleicht unterläuft ihnen dabei unversehens und in einem Feld, auf dem niemand damit gerechnet hätte, die Innovation, auf die die Welt schon lange gewartet hat.

PLAYING ROCK:

DIE KUNST DES STURSTELLENS

Schere, Stein, Papier

Kommen wir zum heißen Herzen der Stein-Strategie: der Strategie. Strategie beginnt im Kleinen. Jedes Kind kennt das Spiel Schnick, Schnack, Schnuck: Zwei Spieler formen gleichzeitig auf Kommando mit der Hand ein Symbol. Schere zerschneidet Papier, Papier umwickelt Stein, Stein macht Schere stumpf. Auf Englisch heißt es „rock, paper, scissors", und es gibt Abwandlungen in fast allen Teilen der Erde. Nicht von ungefähr liegt sein Ursprung – wie die Anfänge strategischen Denkens – im antiken China der Han-Dynastie, von wo aus es nach Japan exportiert wurde als Spiel der „Drei, die reihum Angst voreinander haben".

Auch wenn Schnick, Schnack, Schnuck oft analog zum Werfen einer Münze eingesetzt wird, um zu entscheiden, wer an der Tankstelle neues Bier holen muss oder einen unangenehmen Anruf tätigen, handelt es sich dabei nur scheinbar um ein Glücksspiel. Nur in der ersten Runde, wenn zwei unvoreingenommene Spieler aufeinandertreffen, die sich nicht kennen, mag der Spielausgang rein zufällig sein. Danach trennt sich die Spreu vom Weizen.

Auch wenn es nicht unmittelbar einleuchtet, weil wir in ihm ein Kinderspiel sehen: Man kann gut und sogar Weltklasse sein in Schnick, Schnack, Schnuck. Und zwar, indem man die Züge der Gegenseite antizipiert, während man selbst unberechenbar bleibt. Bei der offiziellen World Rock Paper Scissors Championship, die von 2002 bis 2009 jährlich in Toronto abgehalten wurde, gewannen nicht irgendwelche dahergelaufenen Scherzkekse, sondern routinierte Spieler.

Wie aber gewinnt man in Schnick, Schnack, Schnuck? Sicher nicht, indem man es wie Bart Simpson macht und immer Stein spielt („Good ol' rock, nothing beats that!"). Das wäre vorhersehbar und ließe sich spielend durch Papier kontern, wie Lisa Simpson es denn auch tut („Poor predictable Bart. Always takes rock."). Christian Rieck, Professor für Spieltheorie in Frankfurt, widmet dem Spiel auf seiner Website (spieltheorie.de) eine lange Abhandlung, in der er die untaugliche Stein-Strategie – die, für das Protokoll, nicht mit derjenigen dieses Buchs verwechselt werden darf – auseinandernimmt: „Nehmen wir einmal an, es wäre rational, immer Stein zu werfen. Dann würde der andere seine beste Antwort darauf wählen, und die lautet Papier. Wenn ich also ganz fest daran glaube, dass es rational ist, Stein zu werfen, dann weiß ich, dass der andere Papier wählen wird. Wenn ich das aber weiß, dann wähle ich Schere. Daher zerstört sich der Glaube an die Rationalität von ‚immer Stein' aus sich selbst heraus."

Unter erfahrenen Spielern gilt sogar der Anti-Stein-Grundsatz: „Rock is for rookies." Gerade Anfänger neigten dazu, schreibt Graham Walker auf der Website der World RPS Society (worldrps.com), das Spiel mit Stein zu beginnen, weil sie das für eine mutige und kraftvolle Eröffnung halten. Angeblich tendieren unerfahrene Frauen bei der Eröffnung stärker zu Schere. Für Deutschland ließe sich vermuten, dass es tatsächlich, so banal es klingen mag, mit dem Geschlecht zu tun hat: *der* männliche Stein, *die* weibliche Schere. Für den Rest der Welt müsste man den Charakter des Gegenstandes heranziehen, mit dem wir uns identifizieren: *massiv* vs. *schnippisch.*

Hat man es also mit einer Frau oder einem gewiefteren Gegenüber zu tun, empfiehlt sich laut Walker die Schere als Eröffnung. Weil sie so gut wie niemals mit Stein eröffnen werden, ist man mit Schere auf der sicheren Seite. Für das Auktionshaus Christie's zahlte sich diese Strategie aus, als es im Jahr 2005 darum ging, die van Goghs, Cézannes und Picassos des japanischen Sammlers Takashi Hashiyama im Wert von 20 Millionen Dollar zu versteigern. Der Elektro-Unternehmer konnte sich nicht für eines der beiden großen Auktionshäuser entscheiden und überließ es deshalb dem Spiel. Christie's' internationaler Leiter für Impressionisten und moderne Kunst befragte seine damals 11-jährige Tochter. Die empfahl, Schere zu spielen, „weil jeder davon ausgeht, dass du Stein spielst". Sotheby's hingegen betrachtete die Veranstaltung wohl als reines Glücksspiel oder unterschätzte die Gegenseite und wählte jedenfalls Papier. Christie's verdiente Millionen an der Provision.

Geht ein Spiel über mehrere Runden, ist man hingegen gut beraten, Papier zu spielen – und damit auszunutzen, dass Schere mit 29,6 Prozent etwas seltener vorkommt als das statistisch erwartbare eine Drittel aller Züge. Aber auch das kann einem auf die Butterseite schlagen, wenn der Gegner diese Strategie wittert und deshalb häufiger Schere spielt. Schon ist man mitten drin im zirkulären Hase-und-Igel-Gedanken-Wettrennen, bei dem es darum geht, die Denktiefe des Gegners richtig einzuschätzen und ihn um eins zu toppen. Deshalb kann es per se keine „dominante Strategie" geben, die unter allen Umständen

Erfolg verspricht, wie Christian Rieck schreibt: „Das Problem ist, dass es zu jeder Strategie, die vorhersehbar ist, eine Gegenstrategie gibt, die gewinnt. Daher brauchen wir eine Strategie, die unvorhersehbar ist. Unvorhersehbar ist aber nur ein anderes Wort für zufällig. Also muss die Strategie zufällig sein."

Klingt logisch, aber kann das eine Strategie für Champions sein? Hielten sich beide Spieler daran und würden ihre Züge tatsächlich rein zufällig wählen, würde auf lange Sicht ein Drittel der Spiele der eine gewinnen, ein Drittel der andere, und ein Drittel ginge unentschieden aus. Wir wären wieder beim Glücksspiel. Die Hintertür wahrer Könner- und Meisterschaft öffnet sich, weil die meisten Menschen sehr schlecht darin sind, den Zufall zu simulieren. Der reine mathematische Zufall produziert nicht selten scheinregelmäßige Häufungen, Serien und Muster, die uns als „nicht zufällig genug" erscheinen. „Tatsächlich sind Menschen, die versuchen, dem Zufall nahezukommen, sehr vorhersehbar", schreibt Graham Walker. Und das ist genau, was Profispieler ausnutzen, um die Fifty-Fifty-Chance zu ihren Gunsten zu beugen.

Wer es nicht glaubt, kann es ausprobieren. Die Website der *New York Times* wartet mit einem „Rock, paper, scissors"-Simulator auf, gegen den man am Bildschirm antreten und seine Strategie testen kann (nytimes.com/interactive/science/rock-paper-scissors.html). In der Variante „Novice" lernt der Computer nur aus den Spielzügen, die er bei seinem menschlichen Herausforderer beobachtet. In der „Veteran"-Einstellung greift er auf die Erfahrungswerte aus über 200 000 vorausgegangenen Mustern zurück und sucht nach wiederkehrenden Mustern, um unseren nächsten Zug vorauszusagen. Schon im „Novice"-Modus wird es nach einer kurzen Lernphase schwieriger, den Computer durch unerwartete Zugfolgen zu überraschen. Im „Veteran"-Modus hat man nach kurzer Zeit keine Chance mehr. Fast deprimierend, am eigenen Leib zu erfahren, wie erwartbar menschliches Verhalten ist und wie durchschaubar der Mensch für smarte Algorithmen geworden ist.

Der Bias des Tormanns

Was Computeralgorithmen und Profispieler ausbeuten, sind die bereits beschriebenen „biases", die die neue Verhaltensökonomie erforscht: im Gehirn hart verdrahtete Denkfehler und systematische Abweichungen vom rationalen Kalkül, das im Falle von Schnick, Schnack, Schnuck eine wirklich zufällige „mixed strategy" wäre.

Ein Ratschlag, den Graham Walker erteilt, ist, darauf zu setzen, dass unerfahrene Spieler oft unbewusst den Zug spielen, der ihren vorausgehenden Zug geschlagen hat oder hätte: „Wenn dein Gegenüber Papier gespielt hat, wird er häufig danach Schere spielen, also spielst du Stein. Das ist eine gute Taktik nach einem Unentschieden oder, wenn dein Gegenüber sein letztes Spiel verloren hat." In der ökonomischen Theorie ist dieses Verhalten als „sunk cost"-Problematik bekannt: Wir treffen Fehlentscheidungen, weil wir Verlusten hinterhertrauern. Aus Frustration setzen wir alles daran, den einmal entstandenen Schaden unmittelbar wettzumachen – was zu noch größerem Schaden führt. Anstatt, was rational wäre, neu nachzudenken und so zu handeln, als hätte es die Verluste niemals gegeben. Sinnlose Projekte werden weitergeführt, weil bereits so viel in sie investiert wurde. Börsenanleger werfen ihr gutes Geld dem schlechten hinterher. Auf die Spielsituation bezogen heißt das: Aus einer Niederlage entsteht die nächste, weil wir zu forciert versuchen, die Scharte auszuwetzen und dadurch berechenbar werden.

Ein weiterer Hinweis, den Graham Walker gibt, um Amateure auszutricksen, lautet: „Achte auf ‚double runs‘, sprich: denselben Zug zweimal hintereinander. Wenn das eintritt, kannst du sicher sein, beim nächsten Spiel zumindest ein Unentschieden zu erzielen." Denn blutige Anfänger neigen dazu, eine Serie bereits nach zwei Wiederholungen abzubrechen. Spielt ein Anfänger also zweimal Schere, wird er es kein drittes Mal tun, sondern Stein oder Papier. Wer nun selbst Papier spielt, ist auf der sicheren Seite. Walkers Erklärung: „Die Leute hassen es, vorhersehbar zu sein, und der gefühlte Inbegriff von Vorhersagbarkeit ist, dreimal hintereinander mit demselben Zug rauszukommen." In rein zufälligen Verteilungen sind zufällige Häufungen und vier, fünf, sechs Wiederholungen keine Seltenheit. Über längere Distanz stets alternierende Ketten bilden dagegen die eher unwahrscheinliche Ausnahme.

Man kann das als Inkarnation des Action bias interpretieren. Die sture Wiederholung des gleichen Symbols lässt uns passiv erscheinen, berechenbar. Dem begegnen wir mit einer flatterhaften Wechselfreudigkeit, die wir für agil, flexibel und dynamisch halten. Wir zeigen, dass wir das Heft des Handelns fest in Händen halten, indem wir das verfügbare Repertoire an Optionen beherzt ausschöpfen. Erst diese kalkulierbare Unstetigkeit macht uns wirklich zur leichten Beute.

Eine verwandte Spielsituation ist der Elfmeter beim Fußball. Auch hier geht es darum, dass zwei Spieler zeitgleich die Wahl aus einem begrenzten Set an Optionen treffen und dabei Annahmen über die Entscheidung des Gegners zugrunde legen. Auch hier existiert keine dominante Strategie wie „immer in die linke Ecke schießen". Und auch hier ist der Action bias mit von der Partie, wie der israelische Verhaltensforscher Michael Bar-Eli herausgefunden hat. Dazu wertete er 286 Strafstöße von Welt- und Europameisterschaften sowie Champions-League-Spielen daraufhin aus, wohin der Schütze schoss, was der Torwart machte und ob der Ball ins Tor ging. Ergebnis: Die Schützen schossen mit etwa gleicher Wahrscheinlichkeit in die rechte Ecke, in die linke Ecke oder in die Mitte. Torhüter aber bleiben in den seltensten Fällen in der Mitte stehen, sondern entscheiden sich vor dem Schuss zumeist für eine Ecke, in die sie dann hechten. Selbst wenn sie sich für die richtige Seite entschieden, hielten sie dennoch nur ein Viertel der Schüsse. Blieben sie hingegen in der Mitte stehen, und der Schuss ging ebenfalls in die Mitte, hielten sie 60 Prozent.

Statistisch gesehen wäre es demnach rational, Torwarte blieben häufiger einfach stehen – auch nicht immer, denn das wäre wiederum vorhersehbar. Der Drang zum Handeln in einer extremen Anspannungssituation hält sie davon ab.

Hinzu kommt, dass sich diese scheinbare Arbeitsverweigerung nur schwerlich mit Selbstbild und Berufsethos eines hochbezahlten Profis vereinbaren lässt: Wirft sich ein Torhüter in die falsche Ecke, ist das Pech. Ein Tormann, der wie angewurzelt stehen bleibt, während der Ball in die Ecke geht, gibt dagegen eine extrem unglückliche Figur ab. Fans, Team und Trainer erwarten von einem Torhüter, der sein Geld wert ist, dass er sich bewegt, genau wie Aktionäre von einem hochbezahlten Vorstandsvorsitzenden erwarten, dass er Tod und Teufel in Bewegung setzt. „Und wenn – wie hier – die Norm gegen rationales Verhalten steht", kommentiert Bar-Eli seine Ergebnisse lakonisch, „dann setzt sich die Norm durch."

Noch einmal zurück zu Schnick, Schnack, Schnuck: Was tun nun also echte Champions, wenn sie gegen ihresgleichen antreten und also nicht darauf rechnen können, gängige Anfängerfehler auszunutzen? Sie versuchen gar nicht erst, ihren Gegner zu durchschauen und flexibel auf dessen taktische Manöver zu reagieren. Im Gegenteil: Sie legen sich im Vorfeld auf eine möglichst zufällige – und damit unvorhersagbare – Abfolge von Spielzügen, sogenannte „gambits", fest, die sie im Duell stumpf exekutieren.

Wie man sich selbst fesselt, beschreibt Len Fisher in seinem lehrreichen Buch über Spieltheorie im Alltag, das passenderweise den Titel *Rock, Paper, Scissors* trägt: „Ich sage Selbstfesselung mit Bedacht, weil ich mir nicht anmaße, meine Chancen dadurch verbessern zu können, die Strategie von jemand anderem zu durchschauen. Wenn jemand das zu können glaubt, viel Glück! Meine Hauptsorge ist, andere davon abzuhalten, *mich* in mehr als der Hälfte der Fälle zu schlagen, die Antwort ist, eine wahrhaft unvorhersagbare und randomisierte Strategie zu finden und daran festzuhalten." Fisher leitet seine Strategie ab aus den Ziffern einer irrationalen Zahl wie Pi oder der Eulerschen Zahl, deren Abfolge keinem wiederkehrenden Muster folgt. Weil Menschen keinen verlässlichen Zufallsgenerator eingebaut haben, müssen sie auf solche Krücken zurückgreifen, wenn sie wirklich unberechenbar sein wollen. Merke: Wer sich bewegt, kann verlieren. Wer sich nicht bewegt, hat schon fast gewonnen.

Konfliktstrategien

Wovon reden wir also, wenn wir von Strategie reden? Eine allgemeingültige Definition könnte lauten: Strategie ist das planmäßige Verfolgen eines Ziels unter Berücksichtigung der eigenen Ressourcen und, wichtiger noch, unter Einbeziehung des antizipierten Verhaltens der Gegner, Mitspieler oder Mitmenschen. François Julliens Hinweis auf die fernöstliche Strategie im Hinterkopf (die – wir erinnern uns – von der Situation ausgeht, in der wir uns befinden, um diese dann mit kleinen, vorsichtig gesetzten Handlungsschritten zu beeinflussen), wenden wir uns kurz der abendländischen, hier insbesondere angelsächsischen Denkschule des planvollen Kalküls zu.

Akademisch formalisiert worden ist sie durch die Spieltheorie, deren Bezeichnung etwas irreführend ist, weil sie eben nicht mit Kinderspielen, sondern mit den ernsten Dingen des Lebens befasst ist. Die ökonomische Spieltheorie erklärt sich überall dort für zuständig, wo zwei oder mehr vernunftbegabte Spieler interagieren, von denen jeder das Ziel hat, seinen persönlichen Nutzen zu maximieren. Einer ihrer Väter, Thomas C. Schelling, definiert den Wirkungsbereich in seinem Grundlagenwerk *The Strategy of Conflict* wie folgt: „Spieltheorie befasst sich mit Situationen – ‚Strategiespielen‘, im Kontrast zu Geschicklichkeits- oder Glücksspielen –, in welchen die beste Kombination von Zügen für jeden Spieler davon abhängt, was er von den anderen Spielern als Aktion erwartet."

Len Fisher schreibt in seiner populärwissenschaftlichen Einführung: „Spieltheorie umgibt uns ständig. Trotz ihres Namens handelt sie nicht nur von Spielen – sie handelt von den Strategien, die wir ganz alltäglich benutzen, wenn wir mit anderen Menschen interagieren." Ob verbale oder nonverbale Kommunikation und Abstimmung – die Spieltheorie liefert ein Besteck, ihre Mechanismen zu beschreiben. Betrachtet man die Welt durch die Brille der Spieltheorie, begegnen einem ständig spieltheoretisch versteh- und erklärbare Konstellationen. Wer einen Hammer hat, sieht überall Nägel. Vielleicht ist es das, was Frank Schirrmacher, *FAZ*-Herausgeber und Serienautor apokalyptischer Bestseller, geritten hat, in seinem jüngsten Sachbuch-Thriller *Ego – das Spiel des Lebens* die Spieltheorie als Weltverschwörung und manipulativen Angriff auf die Psyche der Massen zu dämonisieren.

Die Wurzeln der Spieltheorie liegen in den USA der 1950er. Sie wurde von Militärstrategen und Ökonomen im

Umfeld der RAND-Kooperation, einem militärstrategi-
schen Thinktank, entwickelt, um im Kalten Krieg die Nase
vorn zu haben. Soweit bewegt Schirrmacher sich auf gesi-
chertem historischen Grund. Nach dem Zusammenbruch
der Sowjetunion jedoch sei sie – und nun beginnt seine
Argumentation krude zu werden – wie ein Virus aus dem
Militärlabor freigesetzt worden und habe sich im ökonomischen Betriebssystem der Gesellschaft festgesetzt. Von
der Wall Street, wo einige der RAND-Wissenschaftler
untergekommen sind, habe sich das Virus bis in die Algorithmen von Google und Facebook hinein verbreitet, von
wo aus es unser aller Gehirne mit ökonomischer Nutzen-
maximierung infiziere.

Schon bemerkenswert: In dem Moment, wo die neue
Verhaltensökonomie den *Homo oeconomicus* systematisch demontiert, behauptet Schirrmacher, die durch die
Hintertür implementierte Spieltheorie würde das Betriebssystem der Gesellschaft durchökonomisieren und
uns alle zu egoistischen, seelenlosen und profitmaximie-
renden Zombies machen, zu „Nummer 2", wie er es nennt.
Dabei verkennt er erstens, dass die Maxime der Ökonomie niemals die individuelle Profitmaximierung war.
Stattdessen geht es darum, knappe Ressourcen ihrer sinn-
vollsten Verwendung zuzuführen, das können Individuen tun, aber auch Kollektive und Gemeinschaften. Vor
allem aber ignoriert er, dass die Spieltheorie keine norma-
tive Disziplin ist, sondern eine deskriptive, die ein besseres Verständnis existierender und wiederkehrender Konflikte zwischen Nationen und innerhalb der Gesellschaft
anstrebt.

Zutreffend ist – Schirrmacher formuliert es als Vorwurf –, dass sie sich des Werturteils über ihren Gegenstand enthält, um ihn besser durchdringen zu können. „Unter den diversen Konflikt-Theorien", schreibt Thomas C. Schelling zum Einstieg seiner *Strategy of Conflict*, „verläuft eine Haupt-Trennlinie – korrespondierend zu den verschiedenen Bedeutungen, die das Wort ‚Konflikt' haben kann – zwischen jenen, die Konflikt als pathologischen Zustand ansehen, dessen Ursachen es zu finden und den es zu kurieren gilt, und jenen, die Konflikt als etwas Gegebenes betrachten und das Verhalten im Konfliktfall genauer studieren wollen."

Zutreffend ist ferner, dass die Spieltheorie allein daran interessiert ist, was Menschen tun, wenn sie rational handeln würden. Die Analyse irrationalen Verhaltens in Konfliktsituationen überlässt sie dankend der Psychologie. Schelling weiter: „Wir beschränken uns ernsthaft auf die Annahme rationalen Verhaltens – nicht nur intelligenten Verhaltens, sondern auch eines Verhaltens, das durch ein bewusstes Kalkül des eigenen Vorteils motiviert ist." Die natürlichen Grenzen ihres Erklärungsansatzes waren also bereits den frühen Spiel- und Konflikt-Theoretikern vollauf bewusst: „Insofern sehen wir die beschränkte Anwendbarkeit unserer Resultate. Wenn wir darauf aus sind, reales Verhalten zu verstehen, können die Ergebnisse, die wir unter diesen Bedingungen erzielen, sich entweder als gute Annäherung oder als Karikatur der Wirklichkeit entpuppen."

Gerade das macht die Theorie aber so spannend. Nehmen wir John Nash, den im Film *A Beautiful Mind* als

paranoid-genialen Autisten porträtierten Urvater der ökonomischen Spieltheorie. Von ihm stammt das Nash-
Gleichgewicht, das Standardwerkzeug der Spieltheorie,
und das zur Veranschaulichung entwickelte Gefangenendilemma – laut Schirrmacher „eine spieltheoretische Ur-
szene von zwei Menschen, die ein gleiches Schicksal teilen,
aber nicht miteinander reden können, und die das Angebot bekommen, auf Kosten des anderen einen Vorteil zu
bekommen." Weil für beide Eingesperrten der Verrat des
anderen die jeweils rationale Verhaltensweise ist, zeigt sich
für Schirrmacher schon hier der zynische und unmensch-
liche Charakter der Spieltheorie.

Man kann John Nashs Theorie der Gleichgewichte in
nicht-kooperativen Spielen aber auch genau anders herum
lesen und daraufhin befragen, was Menschen, Organisationen und Staaten daran hindert zu kooperieren. Man
kann daraus lernen, wie genau die Schwellen, Hürden und
Fallstricke beschaffen sind. Man kann ableiten, wie die
Bündel geschnürt sein müssen, damit zwei rational han-
delnde Rivalen in die Kooperation „hineingetrickst" werden, wie Len Fisher es nennt. Spieltheorie ist dadurch laut
Fisher „weniger Werkzeug, die Welt zu kontrollieren, vielmehr eins, das uns hilft, sie auf eine neue erkenntnisstif-
tende Art zu begreifen. Es ist eine Anleitung zur Entschei-
dungsfindung, die uns darauf stößt, was wirklich vor sich
geht, kein Entscheidungsautomatismus, in den wir nur
die Fakten hineinfüttern."

Und man erkennt, wie eine Drohung gebaut sein muss,
damit sie einen Konflikt gerade nicht entfacht, sondern
seine Eskalation verhindert. „Strategie – in dem Sinne, wie

ich sie hier verstehe –", schreibt Thomas C. Schelling, „handelt nicht von der effizienten *Ausübung* von Gewalt, sondern von der *Ausbeutung potenzieller Gewaltanwendung*." Im Falle des nuklearen Wettrüstens, das die Folie für Schellings Buch bildete, hat dieser Ansatz, kann man rückblickend sagen, einigermaßen funktioniert.

Zum Stein werden

Weil der Fokus der Spiel- oder Konflikt-Theorie eben nicht auf irrationalen Feindschaften liegt, bei denen die Gegner sich hassen und gegenseitig auslöschen wollen, sondern auf potenziellen Partnern, die sich misstrauen oder unterschiedlicher Meinung sind, lauert eine Verhandlungslösung meist hinter der nächsten Ecke. Für Schelling sind Konfliktsituationen deshalb dem Wesen nach Verhandlungssituationen: Wie werden die Bündel geschnürt? Zu welchem Opfer ist man bereit? Welche Anreize setzt man? Welche Drohungen macht man?

Natürlich geht es dabei um Vorteilsnahme und die Durchsetzung eigener Interessen – aber eben nicht mittels brutaler Ausübung von Macht, sondern indem wir die Situation durch die Augen des Gegners betrachten lernen. Insofern ist die angewandte Spieltheorie ein Amalgam aus gelebtem Egoismus und praktizierter Empathie. Das gilt beim Schachspiel ebenso wie in oligopolistischen Konkurrenzsituationen in der Wirtschaft, besonders in der Politik, wo eine begrenzte Anzahl von Akteuren und Parteien um den begrenzten Kuchen der Wählergunst konkurriert – und dabei die möglichen nächsten Schritte des politischen Gegners einkalkulieren muss. Man entscheidet sich für einen Weg, eine Vorgehensweise, ein Reaktionsmuster; man entscheidet sich für eine Strategie.

Voraussetzung dafür, dass man von Strategie sprechen kann, ist jedoch, dass man sich immer auch anders entscheiden könnte, dass man überhaupt Wahlmöglichkeiten hat. Martin Luthers „Hier stehe ich, ich kann nicht anders!" kann man also nur insofern strategisch nennen, als wir unterstellen können, dass Luther, bei Licht betrachtet, sehr wohl auch anders gekonnt hätte, wenn er gewollt hätte.

Grundsätzlich gilt in der Spieltheorie: Je mehr Handlungsspielräume man hat, desto besser. Mit den Freiheitsgraden entfaltet sich auch die Wirksamkeit der eigenen Strategie.

Für die Kybernetik, die viele Überschneidungen mit der Spieltheorie aufweist, hat Heinz von Foerster diesen Gedanken sogar zur obersten Maxime erhoben. Sein „ethischer Imperativ" – in Anlehnung an Immanuel Kants kategorischen – lautet: „Handle stets so, dass die Anzahl der Wahlmöglichkeiten größer wird!" Ziel dieser Ethik ist es, die Zahl der Freiheitsgrade für den Einzelnen und für die Gesellschaft zu erhöhen. Gerhard Schröder, der sich in seiner Laufbahn weder mit Kybernetik noch intensiv mit wissenschaftlicher Spieltheorie beschäftigt haben dürfte, dafür als „political animal" über einen gut ausgeprägten Machtinstinkt verfügte, hat dieses Prinzip einmal frappant auf den Punkt gebracht: „Das Gute an Optionen ist, dass man sie hat."

Es gibt allerdings eine Reihe von Situationen, in denen man sich wünschen würde, weniger Optionen zur Verfügung zu haben. Genauer: Wir wünschen uns im Vorfeld, uns später nicht mehr umentscheiden zu können, weil wir überzeugt sind, klarer zu sehen, was auf lange Sicht das Beste für uns sein wird. Dahinter liegt eine philosophische Problematik: Was ist der Mensch? Und wieso können wir davon ausgehen, dass die Person, die morgens das Haus verlässt, noch die ist, die eine halbe Stunde später im Büro eintrifft? Auch wenn sie von ihnen Entscheidendes lernen können, sind Menschen nun mal keine Steine. Deshalb fällt es ihnen so schwer, dabei zu bleiben, was sie einmal für sich als richtig erkannt haben (oder erkannt zu haben glauben): Eigentlich sind wir ganz anders, wir kommen nur so selten dazu. Wenn man uns fragt, wie wir am liebsten unsere Abende verbringen, sagen wir: „Ein gutes Buch lesen" – und schalten den Fernseher an, sobald wir nach Hause kommen.

Schon Georg Christoph Lichtenberg war durch intensive Introspektion auf dieses Problem aufmerksam geworden: „Ich habe es sehr deutlich bemerkt, dass ich oft eine andere Meinung habe, wenn ich liege, und eine andere, wenn ich stehe." Ökonomen nennen das Phänomen „Zeitinkonsistenz". Plastisch vor Augen trat diese dem Nobelpreisträger George Akerlof, als er während einer Gastprofessur in Indien vor dem Problem stand, seinem Freund Joseph Stiglitz, ebenfalls Inhaber eines Wirtschaftsnobelpreises, eine Kiste Klamotten hinterherzuschicken, die jener bei einem Besuch vergessen hatte. Akerlofs Unlust, sich durch das Gestrüpp des indischen Post- und Zollwesens zu kämpfen, war so groß, dass er das Vorhaben jeden Tag aufs Neue auf den nächsten Tag verschob, um es dann aber wirklich zu erledigen. „Acht Monate lang wachte ich jeden Morgen auf und entschied, dass der *nächste* Morgen der Tag sein würde, an dem ich endlich die Stiglitz-Kiste verschicken würde", erinnert sich Akerlof in seinem bahnbrechenden Paper „Procrastination and Obedience" von 1991.

Die ökonomische Erklärung für das Problem, das hinter der Zeitinkonsistenz und der weitverbreiteten Neigung zur Prokrastination, zum notorischen Aufschieben, steckt, hört auf den Namen „Gegenwartspräferenz". Die Zukunft ist ungewiss. Wir könnten morgen vom Lastwagen überfahren werden. Also leben wir lieber im Hier und Jetzt. Der Spatz in der Hand ist uns lieber als die Taube auf dem Dach. Deshalb schieben wir Unangenehmes möglichst lange auf, während wir Genuss jetzt sofort haben wollen. Diese Kehrseite lässt sich gut bei Kindern beobachten, bei denen die Gegenwartspräferenz besonders stark ausgeprägt ist. Stellt man ihnen einen Teller mit einem Marshmallow hin und verspricht ihnen einen zweiten, wenn man in fünfzehn Minuten wiederkommt, und der erste noch da liegt, wird in den meisten Fällen der Teller leer sein – weil die Kinder der Versuchung nicht widerstehen konnten. Ein klassisches Experiment der Sozialpsychologie errechnete eine durchschnittliche Wartezeit der Kinder von sechs bis zehn Minuten. Was es noch zutage förderte: Über eine Dekade später waren die Geduldigen unter den Kindern zu selbstbewussten, sozial kompetenten Persönlichkeiten gereift und konnten besser mit Rückschlägen umgehen. Diejenigen, die der Versuchung nicht widerstehen konnten, hingegen waren unsicherer, unentschlossener, neidischer und schnitten – unabhängig von ihrer Intelligenz – in der Schule schlechter ab.

Akrasia nannten die alten Griechen den schon damals bekannten Sachverhalt, dass Menschen oft wider besseres Wissen und gegen ihre eigenen Interessen handeln. Um die *Akrasia* zu überwinden, der Problematik von Zeitinkonsistenz und Gegenwartspräferenz zu entkommen, müssen wir uns selbst überlisten. Wir brauchen Mittel und Methoden der Selbstfesselung, die unsere absehbare Unbeherrschtheit und Willensschwäche eliminieren und uns an die einmal als richtig erkannte langfristige Strategie binden. Wenn uns die Hände gebunden sind, kommen wir leichter an den zweiten Marshmallow.

Spieltheoretisch gesprochen heißt Selbstbindung oder Selbstfesselung „commitment" und kommt in abgestuften Grundvarianten vor. Am Anfang steht: die Kosten für ein späteres Abweichen in die Höhe treiben, etwa indem man ein Vorhaben so lauthals öffentlich ankündigt, dass mit dem Einknicken der eigene Ruf auf dem Spiel steht. Wahlversprechen von Politikern fallen in diese Kategorie. Die verschärfte Variante sieht die Installation von Automatismen vor, wie bei der Schuldenbremse, den EU-Defizitkriterien oder dem „fiscal cliff", der amerikanischen Form der Schuldenbremse. Auch das Delegieren von Verhandlungen an Agenten mit klarer Weisung und engem Verhandlungsrahmen gehört in diese Kategorie. Die drastischste Variante: ein Abweichen verunmöglichen, indem man buchstäblich oder im übertragenen Sinn „die Brücken hinter sich abbrennt". Mythologie und Geschichte sind voll von Beispielen taktischer Selbstfesselung und hero- ischen Commitments: von Odysseus, der sich an den Mast seines Schiffes fesseln ließ, um dem Gesang der Sirenen widerstehen zu können, bis zum spanischen Seefahrer Hernando Cortéz, der nach der Landung in Mexiko seine Schiffe versenken ließ, um sich und seine Mannschaft unmissverständlich auf die Eroberungsmission einzu- schwören.

Selbstfesselung ist das wirksamste Mittel gegen Willens- schwäche und Wankelmut. Als Normalsterbliche in der Neuzeit gehen wir andauernd Commitments ein, wenn auch weniger spektakuläre. Jeder geschlossene Vertrag ist eine Selbstbindung, jeder Kredit verbunden mit der Ver- pflichtung auf Rückzahlung. Wir lassen uns Deadlines setzen, um beispielsweise ein Buchmanuskript rechtzeitig abzuliefern. Das Eheversprechen ist der Versuch, sich selbst durch Commitment unter Zeugen auf den Pfad der Tugend einzuordnen und gegen zukünftige Versuchungen zu imprägnieren, „bis dass der Tod uns scheidet" – auch wenn es sich in knapp der Hälfte der Fälle als untauglich erweist. Damit nähern wir uns dem Wesenskern von Stra- tegie. Er besteht im Weglassen. Mit Strategien ist es ein bisschen wie mit der Ehe: Sich auf eine Strategie festzu- legen heißt, sich ein für allemal gegen alle anderen zu ent- scheiden.

Gute Strategie, schlechte Strategie

Strategie heißt Verzicht. Nach diesem simplen und abprüfbaren Kriterium ist vieles, was im hochoffiziösen Kontext von Politik und Wirtschaft als Strategie ausgeflaggt wird, keine – oder eine schlechte. Selbst und gerade Topmanager und Spitzenpolitiker scheinen dem Glauben anzuhängen, wenn sie nur oft genug das Wort Strategie in ihren Texten und Reden unterbrächten, würde diese wie durch ein Wunder vom Himmel fallen.

Nach Ansicht von Richard Rumelt, Professor an der University of California in Los Angeles, dem in seiner Beraterpraxis viel heiße Luft als Strategie verkauft wurde, hat sich in den letzten Jahren die Kluft zwischen echter Strategie und dem, was die Menschen Strategie nennen, noch einmal verbreitert. Das veranlasste ihn, dieser Unterscheidung mit *Good Strategy, Bad Strategy* ein eigenes Buch zu widmen und in der Konzeption auch der negativen Seite gebührend Raum zu widmen, denn „Strategie kann kein nützliches Konzept sein, wenn es einfach nur ein Synonym für Erfolg ist". Solch eine Strategie-Illusion ist vielmehr häufig die Quelle für unerklärlichen Misserfolg.

„Bad strategy" meint nämlich nicht einfach nur die Abwesenheit von „good strategy", sondern folgt einer eigenen Logik. Sie verstopft den Raum, der eigentlich für gute Strategie reserviert sein sollte – und breitet sich dort epidemisch aus. In vielerlei Hinsicht ist „bad strategy" ein Synonym für Aktionismus, der mangelnde Qualität anfänglicher Entscheidungen durch eine gesteigerte Intensität im Bemühen wettzumachen versucht: „Sie ignoriert die Macht von Festlegung und Fokussierung, versucht stattdessen eine Vielzahl konfligierender Anforderungen und Interessen unter einen Hut zu bringen. Wie ein Quarterback, der seinen Mitspielern allein die Ansage ‚Lasst uns gewinnen' macht, maskiert schlechte Strategie die Unfähigkeit zu führen, indem sie in der Sprache hehrer Ziele, Ambitionen, Visionen und Werte schwelgt."

Sogenannte Strategien, die aus Harmoniesucht oder Bequemlichkeit vermeiden, sich zwischen konfligierenden Zielen zu entscheiden – was zugegeben oft mit schmerzhaften Einschnitten verbunden ist –, „erzeugen Einkaufslisten voller wünschenswerter Resultate, aber ignorieren die Notwendigkeit, begrenzte Ressourcen zu koordinieren und gezielt einzusetzen". Rumelts Buch ist voll von Beispielen für Fehler und Versäumnisse im Bereich Strategie, aber eines der schlagendsten finden wir gleich vor der Haustür: Daimler.

Hatte der letzte Vorstandsvorsitzende Jürgen Schrempp mit seiner Idee der „Welt-AG" noch eine Art Strategie, auch wenn sie katastrophal nach hinten losging, scheint sein Nachfolger Dieter Zetsche all das zu beherzigen, was Rumelt als Charakteristika von „bad strategy" anführt. Unter dem Titel „Falling Star" schreibt das *Manager Magazin* im November 2012 über das resultierende Wischiwaschi: „Immer wieder hält sich der Daimler-Chef unterschiedliche Optionen offen, immer wieder kostet das viel Geld: etwa bei den Antrieben der Zukunft." Während die Konkurrenz klare Commitments in Sachen e-Mobilität eingegangen ist, experimentiert Daimler mit Elektroantrieben, baut eigene Batterien, investiert Milliarden in sparsamere Verbrennungsmotoren und entwickelt parallel als einziger Weltkonzern die Brennstoffzelle weiter. Der Artikel folgert: „Es ist oft so bei Daimler. Dieter Zetsche und sein Vorstand machen nicht ‚Das Beste oder nichts‘. Sondern von allem ein bisschen." Wer sich nicht entscheidet und aus allen Rohren ein bisschen feuert, kreiert zielsicher Rohrkrepierer.

Entsprechend hohl tönen inzwischen Zetsches mantrahaft wiederholte Ansagen, demnächst die Konkurrenten BMW und Audi zu überflügeln und wieder zum größten Luxusautohersteller der Welt aufzusteigen – während die beiden anderen immer weiter davonziehen. Ein wenig erinnert das an Rumelts Quarterback, der immer verzweifelter den Sieg beschwört, ohne den Weg und die Mittel aufzuzeigen.

„Good strategy" dagegen meint das genaue Gegenteil: klare Ansagen, was man zu welchem Zweck zu tun gedenkt und was nicht. „Gute Strategie verlangt Leader, die willens und in der Lage sind, nein zu sagen zu einem breiten Spektrum von Aktionen und Interessenlagen. Strategie dreht sich mindestens genauso viel darum, was eine Organisation nicht macht, wie darum, was sie macht."

Strategie ist keine Raketenwissenschaft, sondern die Kärrnerarbeit, Wesentliches von Unwesentlichem zu unterscheiden. Es ist die Kunst, Komplexität sinnvoll zu reduzieren. Napoleon, als Stratege ein großer Minimalist, soll gesagt haben: „Die Kunst des Krieges ist wie alles, das schön ist. Die einfachsten Züge sind die besten." Richard

Rumelt pflichtet dem bei und erteilt gleichzeitig jenen eine Absage, die Strategieberatung zu einer hochkomplizierten Alchemieform hochstilisieren: „Gute Strategie ist fast immer einfach und offensichtlich und braucht zur Erklärung keinen dicken Stapel von PowerPoint-Slides." Klingt simpel. Aber wie sagte noch Brecht über den Kommunismus? Er sei „das Einfache, das schwer zu machen ist". Gleiches gilt für das Finden einer guten Strategie. Es braucht dazu eine Menge Anlauf, Erfahrungswissen, Gehirnstrom und Diskussionen. Am Ende gelangt man idealerweise zu etwas, das so einfach und selbstverständlich aussieht, als sei es schon immer da gewesen. Dann kann man relativ sicher sein, eine gute Strategie gefunden zu haben.

Damit ist nicht gesagt, dass sie dann in der Praxis wie an der Schnur gezogen funktioniert. Das hat der preußische Offizier und Strategie-Pionier Carl von Clausewitz leidgeprüft feststellen müssen. In *Vom Kriege* schreibt er: „Es ist alles im Kriege sehr einfach, aber das Einfachste ist schwierig. Diese Schwierigkeiten häufen sich und bringen eine Friktion hervor, die sich niemand richtig vorstellt, der den Krieg nicht gesehen hat." Die Friktionen und Fährnisse des alltäglichen Krieges bringen es mit sich, dass eine Strategie in der Praxis immer wieder angepasst und rund geschliffen wird. Das Gute an einer Strategie ist aber, dass man sie hat. Eine gute Strategie wird sich auch unter diesen Bedingungen bewähren und den „test of time" bestehen.

Eine der einfachsten Strategien, die durch souveräne ökonomische Eleganz besticht, wird dabei oft übersehen:

das Handeln durch Nicht-Handeln – die Stein-Strategie. Sich von vornherein darauf festzunageln und damit den Status quo zu zementieren, erscheint zu einfach; etwa so, als würde man bei Schnick, Schnack, Schnuck immer Stein spielen. Aber wenn man nach reiflicher Überlegung und gewissenhafter Abwägung aller strategischen Optionen dabei landet: umso besser.

Merkiavellismus

Nicht von ungefähr wurde Helmut Kohl – für die jüngeren unter den Lesern: deutscher Bundeskanzler von 1982 bis 1998 – oft mit einem Buddha verglichen. Die Zeitschrift *Titanic* etwa griff diese gängige Assoziation auf und titelte im März 1994: „Buddhismus bizarr: Kohl droht mit Wiedergeburt." Die Evidenz des Vergleichs rührte zum einen von seiner physischen Statur des massigen Steh- wie Sitzriesen her, zum anderen von Kohls phlegmatischem Politikstil. Wenn jemals ein deutscher Politiker in die Nähe des „Wu wei", der in sich ruhenden Gelassenheit und des Handelns durch Nicht-Handeln, gekommen ist, dann war es Helmut Kohl. Dazu passt auch, dass er im richtigen Moment auf sein Tao vertraut und die Wiedervereinigung nach Hause geholt hat.

Kohls gleichmütige Haltung gegenüber Medienvertretern, innerparteilichen Gegnern und der Opposition verdichtete sich in dem Satz: „Die Hunde bellen, die Karawane zieht weiter." Dementsprechend wird Kohls politische

Strategie bis heute mit dem Begriff „Aussitzen" identifi-
ziert. Rainer Zimmermann schreibt darüber in seinem
Strategiebuch, in dem er 72 Grundfiguren strategischen
Handelns porträtiert: „In der Politikwissenschaft wird der
Erfolg des Kohl'schen Aussitzens zwiespältig diskutiert:
Mit Blick auf sein Agieren als CDU-Vorsitzender wird
das Aussitzen als einzig kluger Ausweg erachtet, da Kohl
innerparteilich nur über sehr begrenzte Machtressourcen
verfügt habe. Deshalb war er notgedrungen zum Interes-
senausgleich und zum Abwarten gezwungen. Andere Kommentatoren sehen im strategischen Handlungsmuster des
Aussitzens ein Zeichen für Kohls Entscheidungsschwäche
und seinen mangelnden Gestaltungswillen."

Insgesamt kommt das Aussitzen als strategische Grund-
figur bei Zimmermann nicht besonders gut weg: „Der
Kern des Handlungsmusters besteht in Passivität und
Opportunismus, um möglichst wenig Angriffsfläche zu
bieten. Nur aus einer Position der Schwäche heraus ist
Aussitzen sinnvoll."

Dass darin nicht die ganze Wahrheit stecken kann,
beweist niemand anderes als Kohls Nachfolgerin, Angela
Merkel, lange Zeit gern als „Kohls Mädchen" unterschätzt.
Unterschätzt werden ist überhaupt einer der Schlüsselfak-
toren zum Erfolg der Stein-Strategie.

Blickt man auf Merkels innerparteiliche Erfolgsbilanz,
so hat sie alle hausinternen Konkurrenten und einstigen
Kronprinzen erfolgreich ausgesessen: von Friedrich Merz
über Roland Koch, Norbert Röttgen, Ole von Beust bis
Christian Wulff. Sämtliche männlichen Hoffnungsträger
der CDU und Mitglieder des ominösen Andenpaktes sind

auf wundersame Weise verbrannt, haben sich selbst kaltgestellt oder sind an ihr abgeprallt; Merkel steht wie ein Findling allein auf weiter Flur.

Innenpolitisch steht Merkel ihrem Ziehvater Kohl in nichts nach, was die Kultivierung eines gediegenen Stillstandes angeht. Ihre Wiedervereinigung war der Atomausstieg, bei dem sie unter dem Eindruck der Fukushima-Katastrophe einmal Handlungsfähigkeit beweisen und dem grünen Angstgegner das Thema wegschnappen konnte. Ansonsten hat sie sich und das Land mit einer Moosflechte überzogen, an der jede Initiative abtropft. Nicht von ungefähr hat Nikolaus Blome, Leiter des Hauptstadtbüros der *BILD*-Zeitung, sein soeben erschienenes Buch über Angela Merkel *Die Zauderkünstlerin* genannt.

Besonders deutlich wurde das im Wahlkampf zur Bundestagswahl 2009, in dem Merkel jegliche Auseinandersetzung mied. Adressat dieser Einschläferungstaktik waren natürlich nicht die eigenen, sondern die SPD-Wähler, denen keinerlei Anlass gegeben werden sollte, sich von einer Anti-Merkel-Stimmung an die Urne treiben zu lassen. „Asymmetrische Demobilisierung" haben Politikwissenschaftler der Forschungsgruppe Wahlen diese Strategie getauft. Wegen des großen Erfolges wurde das Stück dauerhaft in den Spielplan aufgenommen, wie Ralf Tils in einem Aufsatz in der *Berliner Republik* feststellt: „Der Begriff ist unaussprechlich und im christdemokratischen Lager tabuisiert (die Suche nach einem anderen Namen läuft). Aber konzeptionell bildet die asymmetrische Demobilisierung seit der letzten Großen Koalition das richtungspolitische Fundament der Merkel-Union."

Auch außenpolitisch ergibt sich ein ähnliches Bild. Wobei es Merkel mit ihrer angewandten Stein-Strategie hier nicht darum geht, an der Macht zu bleiben, sondern Deutschlands Machtposition in Europa zu zementieren: „Merkiavellismus" hat der Soziologe Ulrich Beck in einem Interview Anfang 2013 den Machtstil getauft, mit dem Merkel Deutschland heimlich, still und leise zum Profiteur der europäischen Staatsschuldenkrise gemacht hat: „Angela Merkel hat die Methode ‚Merkiavelli' entwickelt, eine Verbindung zwischen Machiavellis und Merkels Machtpolitik. Ein charakteristisches Merkmal davon ist ihre Neigung zum Nicht-Handeln, Noch-nicht-Handeln, Später-Handeln, zum Zögern. In ihrem machtpokernden Jein erfahren die auf Kredit angewiesenen Länder und Regierungen ihre Abhängigkeit von der Zustimmung Deutschlands und damit immer wieder aufs Neue ihre Ohnmacht."

Fast wortgleich übernahm der SPD-Herausforderer Peer Steinbrück diese Sätze in sein Wahlkampf-Repertoire und warf Merkel wenige Tage später in einer öffentlichen Rede vor: „Sie sind, Frau Bundeskanzlerin, eine Last-Minute-Kanzlerin. Sie haben eine Neigung zum Nicht-Handeln, Noch-nicht-Handeln, Später-Handeln." Dabei haben Steinbrück und seine SPD-Spin-Doktoren verkannt, dass eine solche Attacke Merkel gar nichts anhaben kann, weil Steinbrück damit genau eine ihrer subtilen Stärken zu stigmatisieren versucht. Während Steinbrück auf das etwas angestaubte Bild des Politikers als zupackendem Haudrauf mit feurigem Reformeifer referenziert – und sich selbst als solcher in Pose setzt –, bestätigt Merkel,

was Frank Partnoy in *Wait* über die Prokrastinations-
neigung von Spitzensportlern, medizinischen Koryphäen
oder auch Investment-Genies herausgefunden hat: „Top-
Profis versuchen, genau zu verstehen, wie viel Zeit sie für
eine Entscheidung zur Verfügung haben, um dann innerhalb dieses Zeitrahmens so lange zu warten wie irgend
möglich."

Worauf Ulrich Beck mit seinem Machiavelli-Vergleich
anspielt, ist das Prinzip des *divide et impera*, teile und herr-
sche, das Herzstück machiavellistischer Machtpolitik.
Auch das ist essentiell Stein-Strategie: selbst die ruhende
Mitte und der lächelnde Dritte sein, während die Gegner
aufeinander einschlagen.

Das geht allerdings nur aus einer Position der Stärke
heraus. Aber auch für die Schwachen, die Underdogs der
Geschichte, hat die Stein-Strategie etwas im Angebot:
Mangelnde Macht kann ersetzt werden durch Zähigkeit
und Beharrlichkeit. Man muss nicht bis zu Gandhi und
seinem „gewaltlosen Widerstand" zurückgehen. Ein aktu-
elles Beispiel liefern die Zapatisten im mexikanischen
Chiapas: Im Januar 1994 war die EZLN mit ihrem virtu-
ellen Anführer Subcomandante Marcos und einer kon-
zertierten Aktion in mehreren Orten der Provinz auf der
Weltbühne erschienen, um für die Rechte der indigenen
Bevölkerung in dem aufstrebenden Schwellenland Mexiko
zu kämpfen.

Nach einer Welle weltweiter Aufmerksamkeit, flankiert
durch einen fortschrittlichen Internetauftritt, war es zwischenzeitlich etwas still geworden um die EZLN. Aber
nur medial. Anfang 2013 zitierte die *Taz* in einem Artikel

über die Rückkehr der Aufständischen den lokalen Experten Gustavo Ogarrio: „Ohne Eile, aber auch ohne Pause
ist der Zapatismus von innen gewachsen, hat neue Generationen mit anderen Vorstellungen von Gerechtigkeit und
Würde hervorgebracht." Der Artikel resümiert: „Fernab
der tagespolitischen Agenda haben die Indigenen ihre
Glaubwürdigkeit also stärken können. Sie haben bewiesen,
dass sie es ernst meinen mit ‚Nie mehr ein Mexiko ohne
uns!'. Ihre stoische Kontinuität, ihr kohärentes Handeln,
ihr unnachgiebiger Einsatz für die Würde und Rechte der
Indigenen hat sie auch in Zeiten durchhalten lassen, in
denen der linke Mainstream sich distanzierte." Wie die
Band Bots zu einer Zeit sang, als der Mainstream auch
hierzulande noch eher links war: „Das weiche Wasser
bricht den Stein."

Brinkmanship

Als permanenter Stein des Anstoßes macht man sich zwar
nicht überall Freunde, aber man bekommt – auch aus einer
unterprivilegierten Position heraus – am Ende eher, was
man will. Schon immer war die *Ultima Ratio* derer, die
nichts zu verlieren haben, das in die Waagschale zu werfen, was sie haben: ihr Leben und ihre körperliche Unver-
sehrtheit. Mit dem Hungerstreik nehmen sie sich selbst in
Geiselhaft, um die Machthaber über den Umweg öffent-
licher Anteilnahme zu erpressen. Bei der Sitzblockade
nehmen sie zumindest physische Schmerzen in Kauf, die

bei der Räumung entstehen. Streiks- und Warnstreiks sind die künstliche Verknappung derer, die normalerweise am kürzeren Hebel sitzen.

Die theatralischste und telegenste Variante davon ist das Anketten, die buchstäbliche Selbstfesselung: Sei es an den Bahngleisen im Wendland, um die Castor-Transporte nach Gorleben symbolträchtig aufzuhalten, bis jemand mit der Flex kommt, um die Fesseln zu entfernen. Sei es am Eingangstor der Frankfurter Zentrale des DFB, um zu erpressen, dass Bernd Schuster und nicht Stefan Effenberg für den Kader nominiert wird – so geschehen vor der Fußballweltmeisterschaft 1994: Die freiwillige Geisel war der Schriftsteller Gerd Henschel. Bundestrainer Berti Vogts ließ sich nicht beeindrucken und nahm Effenberg mit in die USA, was rückblickend als große Fehlentscheidung gesehen wird.

Spieltheoretisch heißt diese Form der Erpressung durch eigene Opferbereitschaft „brinkmanship", deutsch etwa: Spiel mit dem Abgrund. Es ist tatsächlich die konfrontativste und gefährlichste Möglichkeit der Koordination zweier Parteien mit diametral entgegengesetzten Interessen – aber auch eine der wirksamsten, wenn es darum geht, den eigenen Kopf durchzusetzen. Wenn Politiker die Vertrauensfrage stellen, wenn Pokerspieler „all-in" gehen und ihr gesamtes Vermögen setzen, wo immer Menschen mit dem Kopf durch die Wand wollen und dabei ihr eigenes Schicksal in die Wagschale werfen, spielen sie Brinkmanship.

Die Entsprechung in internationalen Beziehungen ist das Ultimatum, eine Forderung, die, wenn ihr nicht nachgekommen wird, einen Automatismus der Eskalation in Gang setzt. Man nimmt potenziellen eigenen Schaden in Kauf, um eine wirksame Drohung zu erzeugen – ein riskantes Spiel mit dem Feuer, insbesondere wenn beide Seiten über Atomwaffen verfügen und/oder man mit Psychopathen verhandelt. Weil Spannung und Nervenkitzel garantiert sind, liegt Brinkmanship hinter zahlreichen Plots von Polit- oder Psychothrillern.

Brinkmanship kann im Affekt entstehen oder aus kühlem Kalkül heraus. Zu verschleiern, um welche Form es sich handelt, ist selbst Teil des Spiels. Auch bloß gespielte heißblütige Rachegelüste können eine weitaus wirksamere Drohung konstruieren als eine nüchtern vorgetragene Forderung. Die besondere Gefahr des Brinkmanship-Spiels leitet sich daraus her, dass, einmal entfesselt, niemand mehr irgendetwas unter Kontrolle hat. „The brink", der Rand zum Abgrund, schreibt Thomas C. Schelling, ist „nicht die scharfe Abrisskante eines Kliffs, auf der man einen festen Stand hat, hinunterblicken und entscheiden kann, ob man springen möchte oder nicht. Es ist eine abschüssige Flanke, auf der man mit einigem Risiko gerade noch stehen kann; je näher man der Schlucht kommt, desto steiler wird der Abhang und desto größer die Gefahr des Abrutschens." Weil der Untergrund unregelmäßig und geröllig ist, könne weder die Person an der Kante selbst noch ein Beobachter sagen, wie groß die Gefahr wirklich ist, wann der „point of no return" überschritten ist, ab dem die Dinge unweigerlich ins Rutschen kommen.

Jeder würde eine solche Person für unvernünftig halten. Innerhalb der rationalen Spieltheorie markiert Brinkmanship selbst den Kipppunkt zur Unvernunft, es ist das rationale Spiel mit dem Irrationalen. In der Literatur findet sich deshalb auch die Bezeichnung „madman theory" für eine Taktik, die mit der eigenen Unzurechnungsfähigkeit kokettiert. Die US-Regierung unter Richard Nixon setzte im Vietnamkrieg darauf, die Welt glauben zu machen, Nixon sei ein derart irrationaler Kommunistenfresser, dass er zum Äußersten imstande sei und die Hand bereits am nuklearen Drücker habe – mit mäßigem Erfolg. Eher schon kauft man Kim Jong-un, dem nordkoreanischen Diktator in dritter Generation, ab, dass sein Hass auf den Westen Pjöngjang irgendwann zu einer Kurzschlusshandlung verleiten könnte; die Inszenierung des Irrsinns ist einfach überzeugender.

Damit eine Strategie des „Sich-sehenden-Auges-ins-eigene-Fleisch-schneiden" glaubhaft wird, braucht es ein taugliches Commitment, sprich: die beobachtbare Selbstfesselung an eine glaubwürdige Drohung. Mit der Glaubwürdigkeit steht und fällt die Strategie, wie Nixon in Vietnam erleben musste. Eine Mutter, die im Supermarkt zu ihrer Tochter sagt: „Wenn du jetzt nicht aufhörst zu quengeln, bringe ich dich um", ist ebenso wenig glaubwürdig wie ein John F. Kennedy, der den Russen droht: „Wenn Chrustschow auch nur eine Rakete in Kuba stationiert, greifen wir Moskau mit der Atombombe an." Erst wenn es Kennedy gelingt zu kommunizieren: „Ich habe meine Generäle angewiesen, mit der Vorbereitung und Durchführung eines atomaren Erstschlages zu beginnen, sobald wir belastbare Informationen über die Stationierung von Atomraketen in Kuba haben. Das ist ein Prozess, den ich dann selbst nicht mehr kontrollieren kann", wird eine glaubhafte Drohung daraus. Sie macht plausibel, warum die USA so irrational sein können, die Selbstauslöschung billigend in Kauf zu nehmen. So wurde die Kuba-Krise 1962 entschärft. Die sowjetische „Weltzerstörungsmaschine" aus dem Film *Dr. Seltsam* war ein ähnliches Werkzeug der Selbstfesselung. Weil ihre Existenz nicht rechtzeitig an den Westen kommuniziert wurde, ging das Abschreckungsmanöver schief und die Welt unter.

Der alternative Name für Brinkmanship, „game of chicken", geht auf den britischen Sozialphilosophen Bertrand Russell zurück. In der Hochphase des Kalten Krieges 1959 verglich er das atomare Wettrüsten der Supermächte mit der Mutprobe, die damals unter amerikanischen Teenagern en vogue war und unter anderem im James-Dean-Film *Rebel Without a Cause* auf Leinwand verewigt wurde: „Es handelt sich um eine Politik, die an einen Sport erinnert, der, so wurde mir berichtet, von degenerierten Jugendlichen praktiziert wird. Dieser Sport nennt sich ‚Chicken!' Er wird ausgeübt auf einer geraden Landstraße mit einem Mittelstreifen, indem zwei Fahrer sehr schnell aufeinander zu rasen. Jedes Auto muss die weiße Linie zwischen den Reifen behalten. Je näher sie einander kommen, desto unausweichlicher wird die gegenseitige Vernichtung. Sobald einer als Erster ausschert, ruft ihm der andere Fahrer im Vorbeifahren ‚Chicken!' zu, und der Verlierer wird zum Gegenstand des allgemeinen Gespötts. Solange das Spiel von verantwortungslosen Jungs gespielt wird, wird dieses Spiel als dekadent und unmoralisch erachtet, obwohl nur das Leben der Teilnehmer riskiert wird. Aber wenn das Spiel von gestandenen Staatsmännern gespielt wird, die nicht nur ihre eigenen Leben riskieren, sondern die von vielen hundert Millionen Menschen, denken beide Seiten, die Staatsmänner ihrer Seite seien weise und couragiert, und nur die Gegenseite sei tadelnswert. Das ist natürlich absurd."

Seither steht „game of chicken" spieltheoretisch für „Anti-Koordinationsspiel", das heißt: für Konstellationen, bei denen jede Seite eigentlich als die klügere nachgeben müsste, damit nicht beide gemeinsam in die Katastrophe schlittern, in der es aber taktisch klüger sein kann, sich dumm, stumpf und stur zu stellen, weil dann die andere Seite nachgeben muss. Kurz gesagt: Wer zuerst zuckt, verliert. Wir kennen es aus dem Alltag, etwa vom Einfädeln mit dem Auto. Wenn der Fahrer des konkurrierenden Fahrzeugs stur bei seinem Tempo bleibt, autistisch geradeaus blickt und vielleicht noch ein Mobiltelefon am Ohr hat, werden wir bremsen und ihn vorlassen. Oder wir lassen es darauf ankommen.

Das ist, zugegeben, die hässliche (um nicht zu sagen: asoziale) Seite der Spieltheorie, die mitnichten zur Verallgemeinerung im Sinne eines ethischen Imperativs taugt. Das Resultat wäre die sprichwörtliche Ellenbogengesellschaft, in der jeder auf Kosten anderer versucht, seinen Dickkopf durchzusetzen, und der Sturste immer gewinnt – „survival of the stubbornst". Es wäre die Welt von Maggie Thatcher, die nach dem TINA-Prinzip („There is no alternative") immer ihren Kopf durchzusetzen versuchte, und deren Lebenseinstellung mit dem Satz „The Lady is not for turning" gut zusammengefasst ist.

Freundlichkeit, Kommunikation und Bereitschaft zur Kooperation sollten immer unsere ersten Mittel der Wahl sein. Wenn sie versagen und uns ein Anliegen wirklich, wirklich am Herzen liegt, kann man auf Brinkmanship zurückgreifen. In gut begründeten Ausnahmefällen ist es legitim, auf stur zu stellen, stumpf Stein zu spielen und so der indignierten Gegenseite unseren Willen aufzuzwingen. Die moralische Legitimation, zumindest aus subjektiver Sicht, kann in diesem Fall volkstümlich lauten, dass auf einen groben Klotz auch ein grober Keil gehört.

SOUND OF SILENCE:
DIE KUNST DES LAUTEN SCHWEIGENS

Schweigen aushalten

Dass Reden Silber ist, Schweigen hingegen Gold, weiß der Volksmund. Ebenso, dass man manchmal besser schweigt, wenn man für einen Philosophen gehalten werden will. Aber machen wir uns bewusst, was für machtvolle Waffen das Schweigen, das Nicht-Kommunizieren, der Gesprächsabbruch tatsächlich sind?! Gezielt eingesetztes Schweigen kann dröhnen wie ein Donnerhall. Schweigen als Verweigerung der Gesprächsfortsetzung ist so etwas wie die Neutronenbombe der Kommunikation. Gebäude und Infrastruktur bleiben intakt, aber das Zwischenmenschliche wird ausgelöscht.

Spieltheoretisch betrachtet baut Schweigen in Konflikten häufig eine Rampe zur Brinkmanship. Die Selbstfesselung besteht hier darin, die Brücken der Kommunikation abzubrechen. Wenn, wie im März 2013 geschehen, die Machthaber in Nordkorea das „Rote Telefon" stilllegen, über das bis dahin informelle Gespräche zwischen Pjöngjang und Seoul möglich waren, dann ist das ein bewusster Akt der Eskalation mit dem Ziel, die Möglichkeiten diplomatischer Entschärfung zu verbauen. Die Analogie im privaten Konflikt war früher das Hinknallen des Hörers mitten im Gespräch und das Abziehen des Telefonsteckers gewesen. Heute würde man die Nummer im Smartphone blockieren und den Kontakt auf Facebook und Skype entfernen. Auf WhatsApp kann man dann immer noch nachvollziehen, wann der oder die mit einem solchen Embargo Belegte aufsteht und zu Bett geht. Sind auch die letzten Kommunikations-Kriechströme gekappt, beginnt das Wettrüsten eisernen Schweigens.

Wie beim „game of chicken" oder beim beliebten Kinderspiel „Niederstarren" – wer zuerst blinzelt, hat verloren – geht es darum, wer zuerst Nerven zeigt, weil er die Stille nicht mehr aushält. Schweigen ist Macht, wer das Schweigen bricht, gesteht Schwäche ein. Nicht zufällig ist das Gefangenendilemma, die Ur-Szene der Spieltheorie, eine Verhörsituation: Zwei Gefangene werden getrennt voneinander vernommen. Würden beide dichthalten, kämen sie glimpflich davon. Weil sie aber nicht wissen, ob nicht der andere einknickt und sie anschwärzt, belasten sie sich lieber gegenseitig.

Im lange Zeit geheimen *Kubark-Manual* moderner Folter- und Verhörmethoden des CIA aus den 1950ern wird die psychologische Extremsituation des Gefangenenverhörs wie folgt beschrieben: „In dieser kleinen und nur von zwei Bewohnern bevölkerten Welt setzt der Zusammenprall von Persönlichkeiten – im Unterschied zu widersprüchlichen Zielen – eine geballte Kraft frei, die mit einem Tornado in einem Windkanal vergleichbar ist. Das Selbstwertgefühl des Vernommenen und des Vernehmers treffen aufeinander, und der Vernommene muss all seine Kraft aufwenden, um seine Geheimnisse vor seinem Gegner aus subjektiven Gründen zu schützen: weil er wild entschlossen ist, nicht der Verlierer und Unterlegene zu sein." Diesen Widerstand zu knacken, listet das Handbuch zahlreiche legale und illegale Techniken auf, darunter eine namens „Alice im Wunderland": Die funktioniert so, dass man den Gefangenen so lange mit absurdem

Unfug konfrontiert, bis er von selbst die Wahrheit preisgibt, weil er den geballten Nonsens nicht mehr erträgt. Die wahre Königin der Verhörtechniken aber ist das Schweigen.

Zum Einsatz bringt die Methode etwa der einfältig-raffinierte Kommissar Brenner in den Krimi-Bestsellern von Wolf Haas. In *Der Knochenmann* beschreibt Haas sie dem Stil seines schlichten Helden anverwandelt: „Der Brenner hat jetzt nicht nachgefragt. Weil seine Erfahrung ist gewesen, du erfährst viel mehr von den Leuten, wenn du nicht nachfragst. Sobald du nachfragst, werden sie vorsichtig. Aber wenn du geduldig wartest und nicht zu interessiert bist, erzählen sie dir alles." Wer nicht fragt, wird schlau. Dahinter steckt eine wahre Erkenntnis: Menschen, die etwas belastet, denen etwas auf der Seele liegt, werden sich eher durch hartnäckiges Schweigen provozieren lassen, ihr Geheimnis preiszugeben, als durch ein inquisitorisches Verhör.

Frank Partnoy berichtet in *Wait* Ähnliches von einem gestandenen Verkaufsgenie und alten Highschool-Freund, „der lange Pausen benutzt, um seine Kunden vom Kauf zu überzeugen. Er platziert sein Schlussargument und verfällt dann in Schweigen, in dem Wissen, dass, wer als Nächster spricht, verliert. Eines Abends vor etlichen Jahren, er verkaufte damals Wasserfilteranlagen, saß er über eine Stunde schweigend und sinnierend bei einem älteren Ehepaar auf dem Sofa, bevor sie endlich einknickten und sprachen. Und danach kauften."

In der Ruhe liegt die Kraft – diese Spruchweisheit gewinnt eine neue Note, wenn wir sie im Sinne der Stein-

Strategie ausdeuten: wenn wir Schweigen als zielführendes Mittel der Kommunikation, als Werkzeug der Willenskraft, als Spielart des Handelns durch Nicht-Handeln begreifen. Anscheinend richtig erkannt hat das der düstere Okkultist Aleister Crowley. An einer der weniger hermetischen Stellen seiner *Little Essays Towards Truth* schreibt er über die Stille: „Dies ist die wahre Idee von Stille; es ist unser Wille, der hervorkommt, vollkommen elastisch, sublim proteisch, um jeden Zwischenraum eines Universums der Manifestation mit sich auszufüllen, welches er auf seinem Wege antrifft." Nun ja, wir ahnen, was gemeint sein könnte.

Sich rar machen

Die Standardsituation zwischenmenschlicher Koordination, unerschöpflicher Quell kommunikativen Kräfteringens, kontingenter Komplexität und rekursiver Konflikte, ist die Paarkonstellation. Schon bei der Überwindung jener kosmischen Unwahrscheinlichkeit, dass der, den ich begehre, mich auch wollen könnte, entfaltet das Schweigen eine große Hebelwirkung.

Im dritten Buch seiner *Liebeskunst*, das aufgrund des großen Erfolges seiner beiden Männer-Ratgeber für die römische Antike entstand, schreibt Ovid den Frauen ins Pflichtenheft: „Mach dich rar!" Noch 1995 knüpfte der auf den US-Markt gemünzte Dating-Ratgeber für Frauen *The Rules* nahtlos daran an und verkündete verbindlich:

„Don't talk to men first!", „Don't stare at men and talk too much!" sowie: „Don't call him and rarely return his calls!".

Das kann uns jedoch nicht darüber hinwegtäuschen, dass heute, mit wachsender Unübersichtlichkeit der Geschlechterrollen, das romantische Liebeswerben nicht mehr allein Männersache ist – und das Sich-Zieren demnach nicht mehr allein Domäne der Frauen. Unter männlichen Eroberern mit sportlichem Ehrgeiz, die sich selbst als „Pick-Up-Artists" bezeichnen, wird das Rarmachen als Schlüssel zum Serienerfolg gehandelt. In den einschlägigen Foren von Internet-Dating-Plattformen herrscht große Konfusion darüber, wer sich nach dem wievielten Date in welcher Form bei wem zu melden hat und was das dann bedeuten könnte. Fazit ist: Verbindliche Regeln gibt es nicht mehr. Es herrscht das freie Spiel der Marktkräfte. Die kürzere Marktseite setzt sich durch. Oder, wie es ein Facebook-Beziehungsstatus auf den Punkt bringt: Es ist kompliziert.

Hat es dann doch irgendwie geklappt mit der Anbahnung, und man steckt frisch in einer Beziehung, ist das beredte Schweigen unser schärfstes Schwert, dem anderen unseren Willen und unsere Vorstellungen aufzuzwingen. Bei Beziehungsstress und in handfesten Krisen gewinnt nicht, wer das letzte Wort hat, sondern wer als Erster schweigt. Das Gegenüber, auf sich selbst und seine letzten, möglicherweise unvorsichtigen Worte zurückgeworfen, versucht, das Schweigen auszudeuten und wird durch die unterbleibende Rückmeldung schier in den Wahnsinn getrieben.

Welche Gefahren im Kommunikationsabbruch lauern, davon berichtet der Journalist Christoph Koch in seinem Buch *Ich bin dann mal offline*. Er tut das anhand einer realen Begebenheit, die durch das Internet bekannt wurde und deren epische Dramaturgie hier nur auszugsweise wiedergegeben werden soll. Ein kanadischer Collegestudent namens JD war für zwei Wochen zu einer einsamen Hütte in den Rocky Mountains aufgebrochen, hatte das Mobiltelefon zu Hause gelassen und seine damalige Freundin Ern im Vorfeld darüber informiert. Die hatte das jedoch umgehend wieder vergessen; sie sei immer „sehr mit sich selbst beschäftigt" gewesen. Als er zurückkehrt, findet er über 20 Emails, SMS- und Mailbox-Nachrichten vor, angefangen an Tag 1 mit: „Hey, ich geh heute Abend mit den Mädels aus. Knutsch, Ern" und „Ich noch mal, hab Dich heute ein paar Mal versucht, anzurufen. Willst Du nicht mit mir reden? ;)"

An Tag 3 wird es schon frostiger: „Was soll das? Warum reagierst Du nicht auf meine Mails und Anrufe? Wo bist Du? Ich hab den ganzen Abend gewartet, dass Du Dich meldest. Das gefällt mir überhaupt nicht. Ruf mich an, SOBALD Du das liest (…)" Bald gefolgt von jähzornigem Unverständnis an Tag 5: „Was hab ich denn getan? War es einfach an der Zeit, mich abzuschießen? Dann hättest Du es mir wenigstens ins Gesicht sagen können, Du &%($%&! Es ist aus. Ruf mich nicht an, schreib mir keine SMS, keine Mails."

Der vollständige Einbruch an Tag 7 („Ich hasse dich!") produziert den taktischen Gegenschlag an Tag 10: „Hey, Arschgesicht! Erinnerst Du Dich an den Kumpel von mir, auf den Du so eifersüchtig warst? Gerade war ich bei ihm und hab mich ausgeheult, und er hat mir gesagt, wie toll ich bin, und ich war mit ihm im Bett, nur damit du es weißt. Hahaha, wer ist jetzt der Blöde? Ich kann jeden haben, den ich will, und Du sitzt zuhause und schaust blöd aus der Wäsche." Nur um an Tag 12 wieder in Zerknirschung zu münden: „Okay, wenn du mich nicht anrufen willst, hör einfach nur zu: Ich dachte, das zwischen uns wäre was Besonderes gewesen. Und jetzt hast Du es alles weggeworfen? Ich versteh's einfach nicht. Irgendetwas muss passiert sein, aber wenn Du ehrlich bist, wirst Du zugeben, dass Du immer noch etwas für mich empfindest. Lass uns doch noch einmal in Ruhe über alles sprechen. Vielleicht ändert es nichts, aber dieses eine Gespräch schuldest Du mir."

An Tag 14 dann die endgültige Kapitulation inklusive verbrannter Erde: „Ich habe es wirklich versucht, JD. Aber ich nehme all die netten Sachen zurück, die ich gesagt habe. Du bist kreuzlangweilig. Ich habe Dir immer nur vorgemacht, dass ich die Serien und Filme gut finde, die Du magst, und Deine bescheuerten Freunde. Du bist nicht der Richtige für mich, und es geht mir tausendmal besser ohne dich. Ich bringe gleich Deine Sachen bei Deiner Mutter vorbei. Ruf mich nie wieder an." Nachdem sie durch die Mutter über den Grund des langen Schweigens aufgeklärt wurde, kann auch die letzte Mail mit dem Betreff: „DIESE MAIL ZUERST ÖFFNEN!!! LÖSCHE ALLE VORIGEN MAILS VON MIR!!!" nichts mehr ausrichten. Die Beziehung von JD und Ern hat dieses Wechselbad der Gefühle nicht überlebt, aber immerhin der

Welt ein eindrückliches Zeugnis davon beschert, in welche nagende Konfusion einseitiges Schweigen Menschen stürzen kann.

Durchlaufen werden in mäandernden Schleifen alle Stadien des bewussten Sterbens und der Trauerbewältigung nach Elisabeth Kübler-Ross, die da sind: Verleugnen, Zorn und Ärger, Händel mit dem Schicksal, Depression und Akzeptanz. Nur, dass die betreffende Person am anderen Ende der Leitung, der Welt oder der Stadt nicht tot ist, sondern nur den Kontakt abgebrochen hat. Was bei Ern und JD ein bedauerliches Missverständnis war, findet da draußen tausendfach statt: Partner, Angehörige, langjährige Freunde brechen von einem Tag auf den anderen den Kontakt ab und beantworten fortan weder Anrufe noch Briefe. Die Journalistin Tina Soliman hat solche Fälle in Deutschland recherchiert und 2011 im Buch *Funkstille* zusammengefasst. Im Editorial der Website zum Buch schreibt sie: „Die Funkstille ist ein Appell, der besagt: ‚Bitte höre, was ich nicht sage!‘ Es geht also darum, gehört zu werden, indem man nichts von sich hören lässt."

Ohne großes Marketing von Verlagsseite entwickelte sich das Buch zum Best- und Longseller und liegt inzwischen in der sechsten Auflage vor, was zeigt, dass dieses Phänomen weiter verbreitet sein muss als angenommen – und der Leidensdruck der Betroffenen enorm. Einige der Interviewten im Buch äußern Sätze wie: „Es wäre leichter, wenn er tot wäre." Dann könne man sich wenigstens damit arrangieren. Die Autorin resümiert: „Wer schweigt, schafft Distanz, hat Macht. Aber was hat man davon? Die Funkstille ist auch eine Krise der Selbsttäuschung. Beide, Abbrecher und Verlassener, sind letztendlich Opfer und Täter zugleich." Und sie plädiert dafür, den Kontakt behutsam wieder aufzunehmen.

Wir halten fest: Ein bisschen rar machen geht in Ordnung. Das Totstellen gegenüber Angehörigen, Ex-Geliebten, ehemals besten Freunden und Freundinnen ist eine extreme Form der Stein-Strategie. Aber eine, die zu keinem Ziel führt. Deshalb lassen wir die Finger davon.

Talking means trouble

In abgeschwächter Form kann die Stein-Strategie allerdings durchaus zwischenmenschliche und innerfamiliäre Konflikte entschärfen helfen: und zwar mittels verschiedener Varianten des Aussitzens, Auf-Sich-Beruhen-Lassens, aber auch Aufschiebens und Vertagens-auf-unbestimmte-Zeit. Wie eine Muschel ein lästiges Sandkorn, das sie nicht loswerden kann, mit Perlmutt umschließt, so lassen sich auch Konflikte schockfrosten und isolieren.

Der *FAZ*-Wissenschaftsredakteur Jürgen Kaube macht sich angelegentlich eines von ihm ausgegrabenen Aufsatzes des Soziologen Georg Simmel über „Das Ende des Streits" in seiner Kolumne Gedanken darüber, wie häusliche Konflikte befriedet werden können: „Streit endet durch Sieg einer Seite, durch Kompromiss, durch das Wegfallen des Streitobjektes oder durch Versöhnung. Man könnte noch hinzufügen: durch Erschöpfung. Eine Möglichkeit ist dabei unerwähnt geblieben. In Familien oder

Ehen, in denen viel gestritten wird, ist bekannt, dass Konflikte mitunter über Nacht verschwinden. Am Abend ging es noch heftig zu, Worte wurden gewechselt, Türen geschmissen, Tränen flossen, man schlief unversöhnt ein. Am nächsten Morgen herrscht zwar nicht sonniger Frieden. Aber der Konflikt wird eingeklammert, weggelegt und ausgekühlt." – Wie kochende Lava, die zu Stein erkaltet, eine Wespe, die von Bernstein eingeschlossen wird, ein Archaeopteryx, der zum Fossil versteinert. Kaube weiter: „Es ist also nicht zur Aussprache gekommen, keine Klärung der strittigen Fragen wurde erreicht, der Konflikt wurde nicht gelöst. Sondern die Beteiligten machen einfach dort weiter, wo sie vor dem Konflikt waren, wenden sich, als sei es der Streit anderer Leute gewesen, dem zu, was gerade ansteht. Und gehen auch später nicht mehr darauf ein, was abends alles gesagt wurde."

In emotionalen Extremsituationen neigt man zu hitzigen Überreaktionen, und ein Wort gibt dann das andere. Diese Spirale der Eskalation zu durchbrechen und etwas Zeit ins Land gehen zu lassen, ist das Beste, was man tun kann. Das sprichwörtliche „Erst einmal Gras drüber wachsen lassen" birgt eine große Klugheit in sich. Man sollte viel mehr auf die Selbstheilungskräfte des Sozialen vertrauen. Unter der Überschrift „Mund zu, Herz auf" übersetzt die Zeitschrift *Neon* diese Erkenntnis für die Zielgruppe der 25-jährigen Peek-&-Cloppenburg-Verkäuferin und erklärt, „Warum die Liebe länger hält, wenn man lernt zu schweigen": „Muss man einander wirklich ständig sagen, was gerade wieder suboptimal war? Dass gerade so ein komischer Vorwurf in der Stimme lag, als er sagte, die Geschäfte machen gleich zu? Wieso er nicht die Tür aufgehalten hat?" Tendenz: nein. Einfach mal öfter die Klappe halten und den „Emotrash" Emoschrott sein lassen. Oder auch: Gefühle zulassen, Bierflasche aufmachen.

Frank Partnoy empfiehlt für den Fall eines offensichtlichen und nicht zu leugnenden Fehlverhaltens – ob im Privaten oder bei der Krisen-PR von Konzernen – erst einmal abzuwarten, bevor man sich entschuldigt. Sonst verpufft die Wirkung, weil die Betroffenen noch zu sehr unter dem Eindruck des Ereignisses (eine Beleidigung, ein aufgeflogener Seitensprung, das Havarieren einer Öl-Plattform) stehen. Das Opfer oder die Öffentlichkeit braucht Zeit, um das Geschehene zu begreifen und das Ausmaß des Schadens zu ermessen. Hinzu kommt, dass eine Entschuldigung als glaubwürdiger empfunden wird, wenn sie etwas abgehangen daherkommt. „Wenn wir uns etwas Zeit nehmen, bevor wir uns entschuldigen – wenn es uns gelingt, sie in die Langzeitwelt von Stunden oder gar Tagen zu strecken –, zeigen wir damit, dass wir die Gefühle der zu Schaden gekommenen Person ernsthaft erwogen haben, was bei einem Schnellschuss nicht der Fall wäre." Übermäßig lange sollte man allerdings auch nicht warten, sonst wirkt die Entschuldigung wie eine erzwungene, nur widerwillig und halbherzig vollzogene Reaktion. Was eine angemessene Reaktionszeit ist, hängt von der Situation ab und braucht entsprechendes psychologisches Feingefühl: „Das Timing von Entschuldigungen ist mehr eine Kunst als eine Wissenschaft."

Wer im Contenance-Bewahren schon immer weit vorne war, ist die britische Queen. Ihre Öffentlichkeitsarbeit – oder besser: die Abwesenheit davon – stand die längste Zeit unter dem majestätischen Motto: „Never complain, never explain!" Ein Staatsoberhaupt muss sich nicht erklären, vor allem sollte es nicht geschwätzig sein Seelenleben vor der Öffentlichkeit ausbreiten. Jahrzehntelang ist die Queen gut damit gefahren und hat die Würde des Amtes zur Zufriedenheit ihrer Untertanen gewahrt. Erst als Lady Di im Tunnel von Paris spektakulär ums Leben kam, wurde der Druck der Straße, verstärkt durch die Medien, so groß, dass selbst die Queen sich erklären und öffentliche Anteilnahme bekunden musste. Und es bewegt sie doch. Was für ein Ereignis das war, lässt sich daran ermessen, dass Jahre später mit *The Queen* ein Kinofilm weltweit erfolgreich war, der nur diesen Umstand ins Zentrum rückte.

Sich nie beschweren und nie erklären, das lässt sich also nicht immer durchhalten. Nicht in einem medialen Klima, in welchem Schweigen als Schwäche oder Schuldeingeständnis interpretiert wird. Doch selbst wenn Krisen-PR unter der Transparenz-Maßgabe des Internet-Zeitalters eher nach offener und schneller Kommunikation verlangt, gilt nicht nur für in flagranti Festgenommene der Grundsatz: „Sie haben das Recht, die Aussage zu verweigern." Gerade in der Hitze des öffentlichen Scheinwerferlichtes muss man kühlen Kopf bewahren, bevor man sich um Kopf und Kragen redet. Die beiden Os des OODA-Prinzips, „observe" und „orient", sind dabei wichtige Vorspeisen, die vor den Hauptgängen „decide" und „act" serviert werden müssen. Es läuft auf die einfache Wahrheit hinaus, dass nichts so heiß gegessen wird, wie es gekocht wird. Dass Rache ein Gericht ist, das am besten kalt serviert wird, gehört natürlich nicht hierher.

Kunstpausen

Stichwort mediales Schweigen: Zu den denkwürdigen Momenten der deutschen Fernsehgeschichte zählt ein Interview im aktuellen Sportstudio des ZDF aus dem Jahr 1969, in dem der Boxer Norbert Grupe, der in den USA unter dem *nom de guerre* Prinz Wilhelm von Homburg auflief, den Interviewer Rainer Günzler durch sein minutenlanges Schweigen völlig aus der Fassung brachte. Günzler stellte zunehmend nervös eine Frage nach der anderen. Grupe lächelte freundlich und schwieg wie ein Stein. Er war mit der Vorberichterstattung des ZDF, in der leichte Kritik an seinen teils skurrilen Auftritten angeklungen war, nicht einverstanden gewesen und legte es bewusst darauf an, den ultimativen Eklat zu provozieren: Schweigen im TV! Das hatte die Fernsehöffentlichkeit noch nicht gesehen. Grupe wurde daraufhin mit einer lebenslangen Sperre des Verbandes Deutscher Berufsboxer belegt.

Harald Schmidt machte etwas Ähnliches, als er 1992 erstmals die große Samstagabendshow *Verstehen Sie Spaß?* in der ARD moderierte. Er ließ einen elektronischen Plastikroboter vor sich über die Bühne laufen und sah ungerührt etwa eine halbe Minute zu, wie der Roboter die Stufen zum Publikum hinabstürzte und hilflos mit den Beinen in der Luft strampelte. Schmidt unterlief die überzogenen Erwartungen an den großen Auftritt durch eine bewusst gesetzte und eine gefühlte Ewigkeit in die Länge gezogene Antiklimax. Von der Kritik wurde dieser magische TV-Moment seinerzeit nicht angemessen gewürdigt.

Viele Comedians setzen auf diesen Effekt. Sie verschleppen eine Pointe oder lassen eine Kunstpause quälend lang in der Luft hängen. Die Peinlichkeit eines vermeintlichen Blackouts überträgt sich auf das gespannte Publikum. Die Stille vor der Pointe, das Spiel mit dem vorenthaltenen „comic relief", der befreienden Auflösung, enthält bereits die gesamte Komik. Die Pointe selbst muss dann gar nicht mehr komisch sein, um hysterisches Gelächter zu produzieren. „Deadpan" nennt sich diese Form des besonders unter angelsächsischen Komikern verbreitete Form des ausgestellten Stoizismus. Frank Partnoy schreibt: „Die größten Comedians sind Meister der Verschleppung. Sie können uns eine Kunstpause mit derselben Intensität spüren lassen, die ein Rennfahrer fühlt, wenn er mit Höchstgeschwindigkeit in eine Kurve fährt. Die Zeit dehnt sich." Als Beispiel führt er John Stewart, den Host der *Daily Show*, an: „Seht her, was er macht, nachdem er den Clip einer öffentlichen Person gezeigt hat, die etwas Dummes gesagt hat: *nichts*. Er wartet und wartet und wartet, manchmal für fünf oder zehn Sekunden. Dann endlich, wenn die Anspannung den Höhepunkt erreicht und er das letzte bisschen aus diesen Sekunden herausgequetscht hat, fühlt er, dass es Zeit für die Entladung ist, und entlässt uns mit einer Pointe."

Schock-Marketing

Es fürchtet sich der Witz vor der Pointe. Bei Licht besehen ist die endlos gedehnte Kunstpause ein sadistisches
Spiel mit einem leicht masochistisch veranlagten Publikum. Die Lust entsteht aus der Qual, dass etwas Herbei-
gesehntes lange vorenthalten wird. Techno-DJs machen
etwas Ähnliches, wenn sie die Crowd qualvoll lange auf
den Einsatz des erlösenden wummernden Basses warten
lassen. Kinder haben ein ausgeprägtes Sensorium für diese
Dramaturgie des retardierenden Moments: Wenn man
ihnen androht, sie zu kitzeln, und das dann aber nicht tut,
sondern in der Drohpose verharrt, flippen sie schier aus vor
Vergnügen.

Die Wiener Medienkünstlerin und Internet-Beraterin
LIZVLX hat diese Mechanik um das Jahr 2000 herum mit
ihrer Agentur übermorgen.com experimentell überführt
in das Konzept des „Schock-Marketings": Stoß Deine Kunden vor den Kopf, und sie werden immer wiederkommen,
weil sie die Zurückweisung nicht ertragen können. Ihr
sadistischer Werkzeugkoffer reicht von der unfreundlichen
Ansprache bis zu technischen Dysfunktionalitäten. Das
Netzmagazin *Telepolis* berichtet: „Werden die User ‚Opfer'
dieser Methode, so kann es ihnen schon einmal passieren,
dass sie auf von übermorgen.com gestalteten Websites
landen, die ihnen nichts weiter als ein freundliches ‚Fuck
off' entgegenschleudern. In dieselbe Kategorie gehören
Pop-up-Windows, die schlicht nicht funktionieren, also
beispielsweise ins Leere oder auf eine kontextlose Seite

führen." Der Nutzer wird durch die Zurückweisung involviert, was sich etwa in Beschwerde-Emails artikulieren kann und vielfältige Ansatzpunkte liefert, den Kundenkontakt schlussendlich ins Positive zu wenden.

Als neuer Ansatz für die Markenkommunikation von Unternehmen taugt das Schock-Marketing wohl ebenso wenig wie als Richtschnur für das Verhalten von Mitarbeitern in Kundendienst-Callcentern. Aber als künstlerische Intervention und Anregung im Sinne der Stein-Strategie ist es durchaus aufschlussreich. Denn auch im Marketing gilt: Willst du geliebt werden, mach dich rar! Wer sich anbiedert, hat es wohl nötig. Wer sich allzusehr aufdrängt, der geht dem Publikum alsbald auf die Nerven.

Eine Reihe exklusiver Marken und Labels setzt auf eine weichgespülte Version des Schock-Marketings. Um ihren Charakter als Geheimtipp „for those who know" zu wahren, wenden sie eine „Closed shop"-Mechanik an – nur eine Schar handverlesener Privilegierter darf auf Einladung dort kaufen – und verzichten natürlich auf Werbung. So etwa das Insider-Label „Clemens en August" von Alexander Brenninkmeijer, einem Spross der deutschen Bekleidungsdynastie (der Name ist eine Anspielung auf den Brenninkmeijer'schen Familienkonzern C&A). Die Prêt-à-porter-Kollektion wird während einer Roadshow verkauft, bei der die Marke tageweise in Museen und Galerien gastiert. „So erschafft der Holländer Brenninkmeijer eine neue Art der Exklusivität, die auf Zeit und Mühe basiert", schreibt die *Welt*: „Seine Kunden bekommen das Gefühl, durch bloße Anwesenheit etwas geleistet zu haben. Bisher scheint das Prinzip der künstlichen Verknappung zu funktionieren. Viele Kunden kämen bereits am Eröffnungstag, um noch genug Auswahl zu haben, erzählt er. Und der Druck, die einmalige Gelegenheit nicht zu verpassen, bringt die Leute wohl auch dazu, mehr zu kaufen."

Auch mit dem infantilen Aberglauben, dass der Kunde immer und unbedingt König sei und man ihm entsprechend nachstellen und um den Bart gehen müsse, wird dankenswerterweise allmählich aufgeräumt. Der Inder Vineet Nayar führt sein Unternehmen HCL Technologies, einen IT-Service-Provider mit immerhin knapp 5 Milliarden US-Dollar Umsatz, seit 2005 nach der Philosophie *employees first, customers second.* „Wir wandelten uns von einem Unternehmen mit großer Zermürbung und geringer Attraktivität zu dem Nummer-eins-Arbeitgeber in Indien, Asien, dem gesamten Vereinigten Königreich", schreibt Nayar in seinem nach der Unternehmensphilosophie benannten Buch. Das hat ihm nicht nur viel Aufmerksamkeit in Management-Kreisen, inklusive Stammplatz auf den Podien einschlägiger Konferenzen, eingebracht, sondern auch jährliche Wachstumsraten von über 25 Prozent. Wenn die Mitarbeiter glücklich sind, machen sie gute Produkte, und die Kunden kommen von selbst.

Schon Hans Domizlaff, der deutsche Erfinder der Markentechnik, zog – gepfeffert mit einer ordentlichen Prise nationalistischem Kulturkonservatismus – gegen die aus Amerika kommende marktschreierische Reklame zu Felde und verteidigte dagegen den zurückhaltenden Stil des ehrbaren deutschen Kaufmanns, der seine Waren nicht aufdrängen müsse. In seinem Lehrbuch *Die Gewinnung des öffentlichen Vertrauens* von 1939 schreibt er: „Der Stil der Markentechnik ist der Stil einer unaufdringlichen Vornehmheit und einer selbstsicheren Würde nach dem Maßstab des zugehörigen Marktes." Diesen fand er seinerzeit noch in den Kleinstädten oder bei den hanseatischen Kaufleuten des Nordens, während er die Hauptstadt längst verloren gegeben hatte an die „smarte Verkaufskunst" und „viel gerühmte Technik der Verkaufskanonen": „Berlin ist eigentlich ein Jahrmarkt, und seine Bewohner sind durch Jahrmarktmethoden abgestumpft oder misstrauisch gemacht."

Man muss Domizlaff mit Vorsicht zitieren. Aber bei der Übersetzung der Stein-Strategie in Markentechnik kann man sich getrost auf ihn einlassen. Der Weg der Marke – der Pfad des langfristigen und soliden Markenaufbaus – ist nicht der des bekoksten Werbers, der sich andauernd neue Marketing-Gags, markige Slogans und PR-Stunts ausdenkt. Vielmehr ähnelt die Arbeit an der Marke der eines Bildhauers oder Steinmetzes, der in einem langwierigen und bedächtigen Prozess alles von einem Steinklotz weghaut, was nicht nach Marke aussieht. Steine machen keine marktschreierische Reklame für sich. Steine lassen sich finden.

Readymade

Wie weit man es mit vielsagendem Schweigen als Marke bringen kann, zeigt die Karriere von Kate Moss. Von ihren Körpermaßen her eigentlich völlig ungeeignet für den Job, hat sie sich am längsten im Olymp der Supermodels gehalten. Selbst Skandale und Eklats wie veröffentlichte Fotos, die sie beim Kokainkonsum zeigen, konnten ihr nichts anhaben. Als eines ihrer Erfolgsgeheimnisse gilt, dass sie es wie die Queen hält, nicht öffentlich den Mund aufmacht, nur sehr selten Interviews gewährt und wenn, dann vollkommen nichtssagende Antworten gibt. Als Muse ist sie ein unbeschriebenes weißes Blatt, das jeden Modemacher und Fotografen reizt, es mit seiner Kreativität neu zu füllen. Dadurch genießt sie die Aura der geheimnisvollen Sphinx, in die jeder hineininterpretieren kann, was er gern in ihr sehen möchte.

Nach der vielzitierten Weisheit von Paul Watzlawick ist es ohnehin ein Ding der Unmöglichkeit, nicht zu kommunizieren, selbst wenn man schweigt. Besondere Aufmerksamkeit genießt insofern naturgemäß das Schweigen von Künstlern, weil wir unterstellen, ihre Funkstille könne ein besonders bedeutsames Signal, eine Botschaft an uns alle transportieren. Je lauter das Schweigen des Künstlers wird, desto mehr Exegeten sind zur Stelle, es auszudeuten: sei es als tragisches Resultat von Scheitern und Schaffenskrise auf einem riskanten künstlerischen Weg, sei es als bewusst eingesetzte und inszenierte künstlerische Strategie der Verweigerung.

Die Krux dabei: Man muss zuvor eine geneigte Öffentlichkeit davon überzeugt haben, dass man etwas zu sagen hat. Allein durch Schweigen ist noch niemand berühmt geworden. Die ökologische Nische des „Künstlers ohne Werk" erscheint inzwischen wohl etwas überbevölkert. (Übrigens ist der werklose Künstler ein Meister aus Deutschland, wie die Literaturwissenschaftlerin Alexandra Pontzen herausgefunden hat. Er zehrt von der Genieästhetik und dem emphatischen Werkbegriff des deutschen Idealismus und kann so etwas wie eine „negative Erhabenheit" für sich reklamieren.)

Auch scheint die Originalität des radikalen Reduktionismus ausgereizt. 1913 bereits hat Kasimir Malewitsch das *Schwarze Quadrat* gemalt und damit den Nulldurchlauf der modernen Malerei geschaffen. John Cages Komposition *4'33''* besteht nur aus einem ansonsten leeren Notenblatt, auf dem hinter den Nummern I, II und III für die drei Sätze jeweils „Tacet" steht – er/sie/es schweigt. Am 29. August 1952 wurde das Stück in der Maverick Concert Hall bei Woodstock durch den Pianisten Daniel Tudor uraufgeführt, der die drei Sätze durch Auf- und Zuklappen des Klavierdeckels anzeigte. Es hätte allerdings auch von einem Symphonieorchester aufgeführt werden können und hätte dann ähnlich geklungen: vier Minuten und 33 Sekunden lang Stille. Peter Laudenbach schreibt darüber in der Zeitschrift *brandeins* mit dem Schwerpunkt „Nichtstun": „In der Fachwelt löste Cages Komposition jedenfalls Debatten über das Wesen der Musik aus. Dabei hatte Cage schon 1949, drei Jahre vor der Uraufführung von *4'33''*, bei einem ‚Vortrag über das Nichts' in einem

New Yorker Club erklärt: ‚Ich bin hier, und es gibt nichts zu sagen. Was wir brauchen, ist Stille.‘"

Der US-amerikanische Künstler und Bildhauer Tom Friedman, Jahrgang 1965, stößt mit seinen Konzeptkunstwerken dezidiert in neue Sphären des Unspektakulären vor – des „Unheroischen" wie er es nennt. Seine Arbeit *1000 Hours of Staring* etwa ist ein leeres Blatt Papier, das nur dadurch zum Kunstwerk erhoben wird, dass Friedman tausend Stunden lang darauf gestarrt hat.

Damit tritt er in die Fußstapfen des größten und bestgelaunten Verweigerers und Wenig-bis-Nichtstuers der Kunstgeschichte: Marcel Duchamp. Schon im Herbst 1912 bemerkte der junge Maler, der mit seinen kubistischen Bildern gerade zum Star avancierte, beim Besuch einer Luftfahrtschau: „Die Malerei ist am Ende. Wer kann etwas Besseres machen als diese Propeller?" Im *annus mirabilis* 1913, in dem auch Malewitsch in St. Petersburg die erste Fassung seines *Schwarzen Quadrats* präsentiert, schraubt Duchamp in seiner Pariser Wohnung eine Fahrradgabel auf einen Hocker, um zu ergründen, ob man überhaupt Werke schaffen könne, die keine Kunstwerke sind. Fertig war das erste „Readymade" der Kunstgeschichte. Florian Illies zitiert Duchamp in seinem Jahrhundertbuch *1913* zu seiner Motivation: „Es war etwas, das ich in meinem Zimmer haben wollte, wie man ein Feuer hat oder einen Bleistiftanspitzer, außer dass es keinen Nutzeffekt hatte. Es ist ein angenehmes Gerät, angenehm aufgrund der Bewegung, die es gab." Einfach ein schönes Spielzeug, und doch laut Illies „der beiläufigste Paradigmenwechsel der Kunstgeschichte".

Es folgen weitere Readymades und „objets trouvés": 1914 der *Flaschentrockner*, ein formschönes Objekt, dass er im Pariser Kaufhaus Bazar de l'Hôtel de Ville erwarb, 1917 *Fontäne*, ein handelsübliches weißes Urinal aus einem Sanitärgeschäft, das er signierte und flach auf einen Sockel legte. Duchamp erfreute sich an den Eklats und Diskussionen über das Wesen der Kunst, die seine Werke produzierten, hat danach selbst aber nicht mehr allzu viel produziert. 1919 malte er noch der Mona Lisa einen Schnurrbart. Danach zog er nach New York in ein kleines Appartement, gab Französischunterricht für zwei Dollar die Stunde und widmete sich dem Schachspiel. Auch die Interpretation seiner Werke hat er lieber anderen überlassen: „Das Kuriose am Readymade ist, dass ich niemals zu einer Definition oder Erklärung gelangt bin, die mich vollends zufriedenstellte", versetzte er seine Gefolgschaft.

Joseph Beuys, der selbst gern viel über seine Kunst dozierte, fühlte sich durch die lange Sendepause Duchamps derart provoziert, dass er 1964 bei einer Fluxus-Aktion im Rahmen einer Live-Sendung im ZDF verkündete: „Das Schweigen des Marcel Duchamp wird überbewertet." Genauer gesagt: Er zimmerte einen Bretterverschlag, den er mit Filz auslegte, schmierte die Ecken mit Margarine ein und wies einen Mitarbeiter an, den denkwürdigen Satz, der zum geflügelten Wort werden sollte, auf ein Stück Papier zu schreiben. Mehr Effekt als Marcel Duchamp kann man mit einem Rückzug aus der Öffentlichkeit wohl nicht erzielen.

Zauderrhythmus

Das Pendant zu Duchamps Rückzug aus der Kunst wird in der Literatur verkörpert durch J. D. Salinger. 1951 veröffentlichte er seinen heiter-melancholischen *Fänger im Roggen*, den ersten Pop-Roman, in dessen amerikanischer Originalausgabe 44-mal das damals unsägliche Wort „fuck" vorkam. Das Buch machte ihn und seinen Teenager-Helden Holden Caulfield weltberühmt. Es folgten in den Jahren darauf noch zwei lange Erzählungen und eine Handvoll Kurzgeschichten. Bei diesem Output sollte es bleiben. Fast ein halbes Jahrhundert lang, bis zu seinem Tod im Jahr 2010, verschanzte sich Salinger in seinem Cottage in New Hampshire hinter hohen Grundstücksmauern und wollte von der Welt in Ruhe gelassen werden. Es existieren lediglich ein altes Schwarzweißfoto und ein paar Paparazzi-Schnappschüsse von ihm. Die letzten Lebenszeichen Salingers waren juristische Klagen, mittels derer er sich gegen Veröffentlichungen und Zudringlichkeiten neugieriger Medienvertreter zur Wehr setzte. Natürlich war es gerade die Hartnäckigkeit, mit der er seine Selbstauslöschung als öffentliche Person betrieb, die die Neugier schürte, Spekulationen über mögliche Motive ins Kraut schießen ließ und den Mythos Salinger bis nach seinem Tod zementierte.

Man weiß bis heute nicht, ob Salinger nicht mehr schreiben konnte oder – wie Marcel Duchamp – einfach nicht mehr wollte. Beim deutschen Schriftsteller Wolfgang Koeppen hingegen wissen wir es, und zwar aus den unzähligen Briefen, die er über Jahre an seinen Verleger Siegfried Unseld schrieb und in denen er den unwiderruflich und unmittelbar bevorstehenden nächsten Roman ankündigte. Die „Zusammenarbeit" begann 1961, Koeppen hatte da schon drei erfolgreiche Romane veröffentlicht, mit der Ankündigung: „Bei mir, das lehrt mich die Erfahrung, besteht die große Chance, dass ich termingerecht oder nur wenig verspätet fertig sein werde." Es zieht sich hin bis in das Jahr 1966: „Manuskript? Ja. Juni. Ende Juni." 1971 heißt es: „Ich werde Ende April fertig sein, aber diesmal werde ich fertig sein." 1995 schließlich: „Lieber Siegfried, ich werde dieses Buch und auch andere Bücher fertig schreiben. Lasse mich das schreiben, störe mich nicht." Koeppen starb 1996, ohne einen weiteren Roman veröffentlicht zu haben – und markiert damit als Großmeister der Prokrastination den genauen Gegenpol zum strategischen Schweigen: nämlich das selbstquälerische Zaudern und Zögern inklusive der zermarternden Selbstvorspiegelung falscher Tatsachen.

Auch eine Schaffenskrise lässt sich im Sinne der Stein-Strategie wirkungsvoll in Szene setzen. Koeppens Problem jedoch war, dass er seinem eigenen Selbstbetrug aufsaß und seine Schreibblockade nur mit seinem Verleger aushandelte. Die Außenwelt nahm keine Notiz davon. Irgendwann wartete niemand mehr auf den neuen Koeppen-Roman. Der Schriftsteller Rainald Goetz hat es hingegen verstanden – nach erfolgreicher Positionierung als Nachwuchshoffnung der deutschen Literatur in den 1980ern und Ausflügen in Pop und Techno in den 1990ern –, sein Hadern und Laborieren am großen Romanprojekt wirkungsvoll auszustellen und die Öffentlichkeit daran teilhaben zu lassen. Fast die gesamten Nullerjahre hindurch litt das geneigte Feuilleton mit am – teilweise im Weblog „Klage" ausgebreiteten – poetologischen Problem des Rainald Goetz, die Berliner Republik als „Ziegelstein" zwischen zwei Buchdeckel zu packen. Der Berg kreißte und gebar am Ende 2012 mit *Johann Holtrop* zwar nicht die neuen *Buddenbrooks* aber doch ein achtbares Psychogramm der testosterongetriebenen Managerkaste heutiger Medien-Großkonzerne. So geht's doch.

Der Kulturwissenschaftler Joseph Vogl schreibt in seiner Abhandlung *Über das Zaudern*: „Im Unterschied zu verwandten Spielarten wie Unentschlossenheit, Trägheit, Ratlosigkeit Willensschwäche oder bloßem Nichtstun liegt es fernab stabiler und labiler Gleichgewichtszustände, es hat vielmehr einen meta-stabilen Charakter und lässt gegenstrebige Impulse immer von Neuem einander initiieren, entfesseln und hemmen zugleich." Das Zaudern hat mit anderen Worten etwas Produktives und durchaus seine Berechtigung im kreativen Schaffensprozess. Anders als in Systemen wie Wirtschaft, Politik oder Militär, wo das Primat der Tat zählt, ist das Zaudern integrale Zutat des künstlerischen Werks – und nicht allein dessen Verhinderer. Das Werk setzt sich zusammen aus abwechselnden Phasen der Vollstreckung und des Zauderns – Sigmund Freud sprach in Bezug auf seine Arbeitsweise vom „Zauderrythmus" –, beide Seiten bedingen und durchdringen einander, wie Joseph Vogl weiter ausführt: „Das Zaudern begleitet den Imperativ des Handelns und der Bewerkstelligung wie ein Schatten, man könnte hier von einer Zauder-Funktion sprechen: Wo Taten sich manifestieren und Handlungsketten sich organisieren, wird ein Stocken, eine Pause, ein Anhalten, eine Unterbrechung markiert."

Wir müssen lernen zu akzeptieren, dass Phasen des Zauderns und Innehaltens, des Rückzugs und Schweigens notwendige Bedingung und Bestandteil nicht nur der Kunst, sondern von Produktivität überhaupt sind. Über den richtigen Moment, den die griechischen Philosophen als *Kairos* kannten, schreiben Sascha Lobo und Kathrin Passig in ihrer klugen Apologie der Prokrastination *Dinge geregelt kriegen – ohne einen Funken Selbstdisziplin*: „Es gibt ihn, und ihm wohnt genau jene Kraft inne, von der man immer geträumt hat. Leider ist er ein scheues Wesen, das sich nicht beliebig und zu jeder Aufgabe anlocken lässt."

Der Weg der Stein-Strategie sieht für den Fall also vor: abwarten und den Dingen ihren Lauf lassen. In der umgangssprachlichen englischen Redewendung „You try too hard!" steckt die Erkenntnis, dass man vieles, insbesondere im Bereich kreativen Schaffens, nicht erzwingen kann. „Things fall into places" – Dinge fallen an Orte, wenn der günstige Zeitpunkt dafür gekommen ist. Oder, wie die DDR-Rockband Puhdys operativ nicht zu 100 Prozent nachvollziehbar, dafür mit einem umso schöneren Text von Ulrich Plenzdorf gesungen hat: „Jegliches hat seine Zeit/ Steine sammeln, Steine zerstreuen."

Tun und Lassen

An dieser Stelle ist ein günstiger Zeitpunkt, einmal kurz innezuhalten und uns der philosophischen Frage nach dem Wesen des Nicht-Handelns zu widmen. Es dürfte klar geworden sein, dass Nicht-Handeln etwas anderes ist als Nichtstun, Faulenzen und Müßiggang, nämlich etwas Intentionales, Absichtsvolles und Strategisches. Aber ist Nicht-Handeln dann nicht eigentlich auch Handeln? Und warum wird es moralisch so anders bewertet? Warum hat Nicht-Handeln so einen schlechten Ruf?

Der Philosoph Dieter Birnbacher widmet der Frage nach *Tun und Unterlassen* eine umfangreiche Abhandlung, die auch Stellung bezieht zu akuten Problemen wie der Aktivierung Langzeitarbeitsloser oder der Frage nach aktiver oder passiver Sterbehilfe. Zunächst klärt er noch einmal gründlich, was mit Unterlassen gemeint ist. Damit man bei einer Person A von Unterlassen sprechen kann, muss laut Birnbacher erfüllt sein, dass A eine bestimmte Handlung nicht ausführt. Das ist aber nur die notwendige Bedingung. Als hinreichende muss dazukommen, dass A die Handlung durchaus ausführen könnte: „Die erste Bedingung kann in Fällen erfüllt sein, in denen wir nicht im Traum daran denken, von A zu sagen, dass er etwas unterlässt, z. B. wenn A gerade ohne Kontrolle über die eigenen Gliedmaßen einen steilen Abhang herunterrollt. Dass A unter diesen Bedingungen *nicht handelt,* ist nicht hinreichend, um von ihm zu sagen, dass er etwas *unter-lässt.* Wäre es A – was in diesem Beispiel nicht notwendig der Fall sein muss – *gänzlich* unmöglich, sein Verhalten willentlich zu steuern, könnte man von ihm weder sagen, dass er handelt, noch, dass er etwas unterlässt. Wir können von A nur sagen, dass er etwas unterlässt, wenn er zum Handeln *in der Lage* ist." Auf den Punkt gebracht: „Nur der handelt, der auch *nicht* handeln könnte; nur der unterlässt etwas, der auch *handeln* könnte." Wenn diese Bedingungen erfüllt sind, so Birnbachers Fazit nach knapp 400 Seiten, dann dürfte es eigentlich keinen Unterschied in der moralischen – oder juristischen – Beurteilung von Tun und Unterlassen geben.

Dass es diesen doch gibt, so führt Birnbacher aus, lasse sich bereits am alltäglichen Sprachgebrauch ablesen: „Zweifellos ist die Tatsache, dass moralische Verurteilung oder moralische Belobigung durch eine ‚aktivische' Beschreibung mit zusätzlicher Emphase versehen werden können, ein Beleg für den Einfluss, den die gängige moralische Differenzierung zwischen aktivem Bewirken und Geschehenlassen im Alltagsdenken gewonnen hat." Warum es diese Differenzierung im Alltag doch gibt, ist eine diffizile Frage, die sich durch den erneuten Verweis auf einen gesellschaftlich-moralischen Action bias beantworten lässt. Wer aktiv handelt, kann damit rechnen, dass sein Handeln einer stärkeren moralischen Kritik unterzogen wird, als ein alternatives Nicht-Handeln – im Positiven wie im Negativen.

Das bewirkt in der Praxis – auch das sollte hier nicht verschwiegen werden – den „omission bias". Diese „Neigung zur Unterlassung" ist weniger das Gegenteil des Action bias als die dunkle Seite der Stein-Strategie: Einerseits halten wir es nicht aus, dass nichts geschieht. Andererseits wird tendenziell zu wenig unternommen, um absehbaren Schaden abzuwenden. Dies liegt zum einen daran, dass man nicht zur Rechenschaft gezogen wird, wenn man „den Dingen ihren natürlichen Lauf" gelassen hat, zum anderen fehlt bei weit in der Zukunft liegenden Zielen die Motivation. Noch 1957 konnte Konrad Adenauer mit seinem erfolgreichen Wahlkampfslogan „Keine Experimente!" darauf eincashen, dass die Bevölkerung den mittelmäßigen Status quo Sozialreformen mit ungewissem Ergebnis vorzog. Rolf Dobelli schreibt in seinen *Denkfehlern*: „Beim Omission Bias ist die Situation meistens übersichtlich: Ein zukünftiger Schaden könnte durch heutiges Handeln abgewendet werden, aber das Abwenden eines Schadens motiviert uns nicht so stark, wie es die Vernunft geböte. Der Omission Bias ist sehr schwer zu erkennen – Verzicht auf Handlung ist weniger sichtbar als Handlung. Die 68er-Bewegung, das muss man ihr lassen, hat ihn durchschaut und mit einem prägnanten Slogan bekämpft: ‚Wenn du nicht Teil der Lösung bist, bist du Teil des Problems.'"

So begünstigt die moralische Anprangerung des „omission bias" – wer zu einem gesellschaftlichen Missstand schweigt und sich nicht aktiv einmischt, macht sich mitschuldig! – durch die Hintertür den Aktionismus: indem sie engagierte Symbolpolitik produziert. Der Kulturphilosoph Bazon Brock (übrigens ein großer Wegbereiter der Stein-Strategie und Erfinder einer „Ästhetik des Unterlassens") hat diesen hohldrehenden Jargon moralischer Emphase auf die Schippe genommen, indem er ein schwarz-gelbes Baustellen-Warnschild prägen ließ mit der Aufschrift: „Der Tod muss abgeschafft werden, diese verdammte Schweinerei muss aufhören. Jeder, der ein Wort des Trostes spricht, ist ein Verräter – Bazon Brock."

Es bleibt dabei, dass der größte Handlungsbedarf beim Nicht-Handeln besteht. Dass der häufige Verzicht auf Handlung ein Desiderat bildet, dass die gesellschaftliche Forderung nach unbedingter Handlung Kollateralschäden und neue Bedürfnisse erzeugt, zeigt die Flut an Titeln aus den letzten Jahren, die Müßiggang und süßes Nichtstun zum Thema haben: Von Tom Hodgkinsons *Anleitung zum Müßiggang* und *Nichts tun* (Martin Frischknecht) über *Vom Nichtstun* (Eberhard Straub von Wijs), *Die Kunst des Nichtstuns* (Michael Harles), *Muße. Vom Glück des Nichtstuns* (Ulrich Schnabel) und *Faulheit. Eine schwierige Disziplin* (Manfred Koch) bis hin zu *Die Kunst des Liegens* (Bernd Brunner), *Einfach liegen lassen* (John Perry) und *Nichtstun, Flirten, Küssen* (Manfred Spitzer). Die Liste ließe sich beliebig fortsetzen, und dieses Buch bildet dabei nur insofern eine Ausnahme, als es den Akzent anders setzt – und nicht das Nichtstun, sondern das Nicht-Handeln als Stein der Weisen propagiert.

Das Abhandenkommen des Nichtstuns wortreich zu bedauern und dafür zu werben, es wieder zu erlernen, ist das eine. Angesichts eines atomistisch zerhackten Arbeitsalltags und anderen an uns zerrenden Ablenkungen wirklich über Muße zu verfügen, das andere. Natürlich wäre mehr Muße „nice to have" – wenn man sie denn hätte. Statt uns konsequent von Anforderungen Dritter freizuschaufeln, kaufen oder verschenken wir Bücher darüber, die dann ungelesen auf dem Nachttisch liegen, weil uns die Zeit und Muße fehlt, sie zu lesen.

Die Alternative lautet: Das Übel muss dort an den Wurzeln gepackt werden, wo es entsteht – in den Unternehmen, Organisationen, Abteilungen und Meetingräumen, in Wirtschaft, Politik, Schule und Universität sowie in den Medien. Den roten Faden des *Ut aliquid fiat* zu durchschneiden, den Action bias in Aktion zu entlarven und anzuprangern, dass ein Großteil dessen, was unternommen wird, einfach nur deshalb geschieht, damit etwas geschieht – das ist unsere vornehmste Aufgabe.

STEADY STATE:
DIE KUNST DES BLEIBEN-LASSENS

Neue Steinzeit

Vom französischen Mathematiker und Philosophen Blaise Pascal stammt die vielzitierte Apologie aller Stubenhocker: „Das ganze Unglück der Menschen rührt allein daher, dass sie nicht still in einem Zimmer bleiben können." – Staying put als Lebensmotto für „Drinnis", wie Bill Kaulitz, der Sänger der Teenieband Tokio Hotel, sich und seinesgleichen einmal nannte. Auf gesellschaftlicher Ebene findet diese Einschätzung zu den Ursachen menschlichen Unglücks ihre Entsprechung in der Gretchenfrage, wie man es mit dem Fortschritt hält. Im Epilog von *Per Anhalter durch die Galaxis* schreibt Douglas Adams: „Viele kamen allmählich zu der Überzeugung, einen großen Fehler gemacht zu haben, als sie von den Bäumen heruntergekommen waren. Und einige sagten, schon die Bäume seien ein Holzweg gewesen, die Ozeane hätte man niemals verlassen dürfen."

In den harten ideologischen Grabenkriegen der untergegangenen Bundesrepublik waren es ausgerechnet die CDU-Wähler und Ewiggestrigen, die – optisch die Anti-Atomkraft-Sonne nachahmend – auf ihren Audis und BMW Aufkleber mit der Aufschrift „Steinzeit? Nein Danke!" spazieren fuhren.

Heute, da eine offiziell konservative Regierung unter Angela Merkel den Atomausstieg beschlossen hat und die ideologischen Fronten sich in einer allgemeinen Unübersichtlichkeit auflösen, unterliegt auch die Steinzeit einer schleichenden Neubewertung.

In Kalifornien und New York, den Experimentallabors für neue Lebensstile, steht die Rückbesinnung auf die gesunde Lebensweise der Neandertaler gerade hoch im Kurs: „Paläo" nennt sich der Lifestyle derjenigen, die glauben, man hätte die Höhlen niemals verlassen sollen. Sie essen viel rohes Fleisch, Früchte und Beeren, aber kein Getreide. Zudem propagieren sie moderate Bewegung in kurzen Intervallen, barfuß und an der frischen Luft. Der Paläo-Guru Art De Vany, 73 Jahre alt und kerngesund, zieht zweimal in der Woche seinen Range Rover die Einfahrt seines Hauses hoch, als sei es ein erlegter Bison. Er hat ein erfolgreiches Buch darüber geschrieben, wie man nach dem Vorbild unserer Urahnen fit bleibt. Der Schlüssel liegt für ihn in kurzer, aber harter körperlicher Arbeit („Können Sie sich vorstellen, wie schwer es ist, ein Mammut mit einem Stein zu zerlegen?") und einer Diät anno 40 000 v. Chr. („Wir versuchen, nur das zu essen, was es schon vor Erfindung der Landwirtschaft gab").

Längst ist der Trend auch nach Deutschland geschwappt. In Berlin-Neukölln hat 2011 mit dem *Sauvage* das erste Steinzeit-Restaurant für Feinschmecker eröffnet. Die paläolithischen Gerichte aus Fleisch, Fisch, Gemüse, Beeren und Nüssen werden dort bei Kerzenschein auf Schiefertafeln serviert. An den Wänden hängen Geweihe und Fossilien.

Zurück in die Steinzeit also? So weit möchte die Stein-Strategie nicht gehen, obwohl es eine schöne Pointe wäre. Ohnehin ist die Steinzeit – oder besser ihr Klischee, in dem die Männer Jäger und die Frauen Sammlerinnen sind – viel zu präsent, wenn es darum geht, scheinbare Konstanten des Geschlechterverhaltens evolutionsbiologisch zu erklären. Aber die Frage nach Sinn und Zweck des Fortschritts muss an dieser Stelle doch einmal gelassen ausgesprochen werden.

Die große Erzählung des Abendlands ist das Ausscheren aus der zyklischen Zeit der Naturvölker auf einen kontinuierlichen Wachstumspfad namens Fortschritt: Wir machen uns die Erde untertan! Morgen muss nicht wie heute sein! Unsere Kinder sollen es mal besser haben! Die Idee vom immerwährenden Fortschritt ist die eigentliche Triebfeder hinter wissenschaftlich-technologischen Durchbrüchen und kapitalistischen Innovationen, mehr noch: Sie ist der Quellcode des Kapitalismus. Die Ideologie des ungebrochenen „Höher, Schneller, Weiter" hat jedoch einige Dellen bekommen, seit der Club of Rome vor 40 Jahren auf die natürlichen *Grenzen des Wachstums* aufmerksam machte. Spätestens mit der globalen Finanzkrise ist die Wachstumsdiskussion neu entbrannt, und immer mehr Menschen zweifeln daran, dass Fortschritt noch die Formel zum Glück ist.

Ist es überhaupt möglich, aus der Wachstumsspirale auszusteigen? Können wir uns eine Ökonomie im „steady state" vorstellen? Und was müsste passieren, damit Stagnation in der öffentlichen Wahrnehmung nicht mehr gleichbedeutend ist mit Rückschritt? Vielleicht sind wir längst auf dem besten Weg dorthin – nicht, weil uns das Öl ausgeht, sondern die grundstürzenden Innovationen. Vielleicht haben wir längst den „peak" überschritten, „The End of the Future" (Peter Thiel) erreicht und befinden uns mittendrin in „The Boring Age" (Michael Lind). Was wäre so schlimm daran? Selbst Anchu Jain, Co-Chef der Deutschen Bank, diskutiert neuerdings – geläutert durch die Finanzkrise – mit dem Grünen Jürgen Trittin öffentlich über „Boring Banking" als neues Leitbild der Finanzbranche.

Der preußische Historiker Leopold von Ranke gelangte, nachdem er die Irrungen und Wirrungen der Geschichte, das ganze dialektische Kuddelmuddel ein Leben lang ausgiebig studiert hatte, Ende des 19. Jahrhunderts zu dem Befund: „Die glücklichsten Zeiten der Menschheit sind die leeren Blätter im Buch der Geschichte." Auch Menschen, die sich schnell langweilen und zur Ungeduld neigen, müssen wohl anerkennen, dass da etwas dran ist.

Auf jeden Fall sind wir gut beraten damit, unsere Erwartungen an den Fortschritt zu zügeln, unsere historische Ungeduld im Zaum zu halten und unsere „Gegenwartseitelkeit" kritisch zu hinterfragen. Der britische Historiker Niall Ferguson ermahnt uns in einem Aufsatz, der Ende 2012 in der *New York Times* erschien, „turning points" nicht zu viel Bedeutung beizumessen: „Die Geschichte ist ein dümpelnder Öltanker. Sie macht nicht auf der Stelle kehrt und ändert die Richtung. Die Menschheit segelt durch die Zeit in manchmal stürmischer, manchmal ruhiger See. Einige Jahre wurden als Ende der Geschichte ausgerufen, aber überschätzt nicht, welche Bedeutung diese vermeintlichen Wendepunkte wirklich haben." Auch wenn allerorten Revolutionen, Paradigmenwechsel und Epochenbrüche annonciert würden, seien diese in Wahrheit sehr rar gesät. Was sich hingegen auf einem ruhig dahinschippernden Öltanker, um im Bild zu bleiben, dramatisch und unvorhergesehen verändern kann, ist die Stimmung der Besatzung. Unzufriedenheit und Langeweile können eine gefährliche Mischung aus Ungestüm und Ennui bilden, bis hin zur Meuterei. In der Geschichte sind das die buchstäblichen oder sogenannten Revolutionen, die in Wahrheit allerdings die Dinge selten nachhaltig auf den Kopf stellen und den langfristigen Kurs der Geschichte nur wenig ändern.

Red queen effect

Zu Beginn von Lewis Carrolls psychedelischem Märchen *Alice im Wunderland* begegnet uns ein weißes Kaninchen mit roten Augen, das ständig seine Uhr aus der Westentasche holt und jammert: „O weh! O weh! Ich werde zu spät kommen!"

Im Fortsetzungsband *Alice hinter den Spiegeln* ist es die Rote Königin, die Alice mit auf einen rasanten Trip nimmt: „Die Königin lehnte sie mit dem Rücken gegen einen Baum und sagte gütig: ‚Jetzt darfst du ein wenig rasten.' Voller Überraschung sah sich Alice um. ‚Aber ich glaube fast, wir sind die ganze Zeit unter diesem Baum geblieben! Es ist ja alles wie vorher!' ‚Selbstverständlich', sagte die Königin; ‚was dachtest du denn?' ‚Nun, in unserer Gegend', sagte Alice, noch immer ein wenig atemlos, ‚kommt man im allgemeinen woandershin, wenn man so schnell und so lange läuft wie wir eben.' ‚Behäbige Gegend!', sagte die Königin. ‚Hierzulande mußt du so schnell rennen, wie du kannst, wenn du am gleichen Fleck bleiben willst. Und um woandershin zu kommen, muss man noch mindestens doppelt so schnell laufen!'"

Evolutionsbiologen sprechen vom „red queen effect", um auszudrücken, dass Organismen sich ständig weiterentwickeln müssen, wenn sie ihre Stellung im Ökosystem verteidigen wollen. Evolutionär kommt es zwischen Räubern und Beute so zu einem regelrechten Wettrüsten.

Soziologen wie Richard Sennett, Zygmunt Bauman oder Hartmut Rosa erklären uns, dass wir alle längst in einem Wunderland leben, in dem man ständig die Beine in die Hand nehmen muss, um an derselben Stelle zu bleiben – und dass uns diese hektische Betriebsamkeit auf Dauer krank und kirre macht.

Angeleitet durch Paul Virilios Oxymoron vom „Rasenden Stillstand" will Hartmut Rosa in einem großen Projekt an der Universität Jena entschlüsseln, wie die ständige Akzeleration im kapitalistischen System funktioniert und als Entfremdung auf die Psyche wirkt. Die durch Fortschritt gewonnene Zeit wird an anderer Stelle sofort wieder verausgabt. Um mit dem allgemeinen Change Schritt zu halten, erhöhen wir die Taktzahl. In seiner Habilitationsschrift *Beschleunigung. Die Veränderung der Zeitstruktur in der Moderne* schreibt Rosa in einem Bandwurmsatz, für den man sich Zeit nehmen muss, dass an die Stelle des technisch machbaren „Zeitwohlstands", mit dessen Versprechen die westliche Moderne einmal angetreten sei, „in der Realität westlicher Gesellschaften ein gravierender und sich verschärfender Zeitnotstand getreten ist; eine *Zeitkrise,* welche die herkömmlichen Formen individueller wie politischer Gestaltungsfähigkeit in Frage stellt und zu der verbreiteten Wahrnehmung einer gesellschaftlichen *Krisenzeit* geführt hat, in der sich paradoxerweise das Gefühl ausbreitet, hinter der permanenten dynamischen Umgestaltung sozialer, materieller und kultureller Strukturen in der ‚Beschleunigungsgesellschaft' verberge sich in Wahrheit ein tiefgreifender struktureller und kultureller Stillstand, eine fundamentale Erstarrung der Geschichte, in der sich *nichts Wesentliches* mehr ändert, wie schnell auch immer sich die Oberflächen wandelten."

Es ist wie mit der gefühlten Temperatur, die kälter ist, wenn ein eisiger Wind bläst: Auch wenn das reale Wirtschaftswachstum und das Innovationstempo längst stagnieren, empfinden wir subjektiv einen beschleunigten Wandel, mit dem wir Schritt halten müssen, um nicht ins Hintertreffen zu geraten. Die gängigen Bilder für das allseitige Wettrüsten im Kapitalismus sind die des Hamsterrades und der Tretmühle.

Als neuer Unterzweig der Ökonomie und Sozialpsychologie ist die Glücksforschung angetreten, das scheinbare Paradox der Glücks-Tretmühle zu ergründen: Trotz wachsenden materiellen Wohlstands werden die Menschen subjektiv nicht glücklicher. Um diesen Befund politisch zu operationalisieren und alternative Wohlstandsindikatoren jenseits des Bruttoinlandsproduktes auszuloten, tagte von 2011 bis 2013 relativ ergebnislos die Enquetekommission des Bundestages „Wachstum, Wohlstand, Lebensqualität". In einem Gutachten für diese Enquete schreibt der Schweizer Ökonom Mathias Binswanger, der den Begriff „Tretmühle des Glücks" geprägt hat: „Auf einer Tretmühle kann man immer schneller laufen und diese immer schneller bewegen, doch man bleibt immer am selben Ort. Genau gleich verhält es sich mit dem menschlichen Streben, durch mehr Einkommen glücklicher zu werden. Die Menschen werden dadurch zwar immer reicher, aber was ihr Glücksempfinden betrifft, treten sie auf der Stelle." Die Rote Königin lässt grüßen. Binswangers vorläufiges Fazit: „Offenbar leben Menschen nicht so, wie es für sie selbst am besten wäre. Es ginge ihnen insgesamt besser, wenn sie mehr Zeit hätten und dafür auf zusätzliches Einkommen verzichteten."

Aber nicht nur das Streben nach Reichtum und Status bildet eine Tretmühle, auch die technologische Revolution im Haushalt frisst ihre Kinder, sprich: unsere Zeit. Die Soziologin Joann Vanek hat bereits 1973 für die USA gezeigt, dass die durchschnittliche Zeit, die für Hausarbeit draufgeht, trotz der zunehmenden Verbreitung von beispielsweise Staubsaugern und Waschmaschinen zwischen 1920 und 1970 ungefähr konstant geblieben ist. Ihre Befunde wurden seither vielfach bestätigt. Die Zeitersparnis durch technische Helfer wird durch gehobene Standards in Hygiene und Ästhetik sofort absorbiert. Wurden die Teppiche früher zweimal im Jahr auf der Teppichstange im Hof ausgeklopft, werden sie heute zweimal die Woche gestaubsaugt. Geht die Zubereitung des Essens dank Mikrowelle schneller, verwenden wir – das heißt statistisch in der Mehrheit leider immer noch: Frauen – mehr Zeit auf die Blumenkästen auf dem Balkon.

Fortschritt revisited

Sogenannte Rebound-Effekte begegnen einem nicht nur im Haushalt, sondern überall, wo technischer Fortschritt stattfindet. Höhere Sicherheitsstandards durch Fahrrad- und Skihelme verleiten zu riskanterer Fahrweise. Die Ersparnis durch weniger spritfressende Motoren führt dazu, dass viele ihr Auto häufiger benutzen und längere Strecken zurücklegen. Generell wird im Bereich Energie ein Großteil der durch Effizienzsteigerung erzielten Kohlendioxid-Einsparung durch den Rebound-Effekt wieder zunichte gemacht. Auch hier gilt also, mit der Roten Königin gesprochen: Wir müssen doppelt so schnell sein, um von der Stelle zu kommen. Das ist die Dialektik des technischen Fortschritts.

Weil wir – die meisten von uns – progressiv eingestellt sind, halten wir Fortschrittlichkeit für etwas Erstrebenswertes, und Fortschritt unbesehen immer und überall für etwas Positives. Dabei übersehen wir, dass dieser Bewertung des Begriffs eine Konjunktur zugrunde liegt, die zeitlich wie räumlich eng eingrenzbar ist. „Fortschritt, der sich aus der Fortschrittserfahrung heraus über eine Fortschrittserwartung zu einem Fortschrittsglauben oder einer Fortschrittsideologie verfestigt, ist eine spezifische europäische Entwicklung des 18. und 19. Jahrhunderts", schreibt Matthias Zimmer, Politikwissenschaftler und CDU-Bundestagsmitglied, in einem Thesenpapier für die erwähnte Enquetekommission des Bundestages. Von der Antike bis in die frühe Neuzeit hätte die Mehrzahl der Menschen

Fortschritt eher als Bedrohung denn als Chance begriffen. Erst seit der Renaissance habe sich eine Umwertung vollzogen, die ihren Höhepunkt in den großen Fortschrittsutopien Ende des 19. Jahrhunderts hatte.

Der gewöhnungsbedürftige Titel des Papiers, *Fortschritt als bürgerliche Leitideologie*, zeigt an, worauf schon der große Begriffshistoriker Reinhart Koselleck hingewiesen hatte: dass die Eigentümerschaft des Fortschrittsversprechens zu wechseln pflege, für Zimmer bedeutet das, dass die Sozialdemokratie ihn nicht gepachtet habe, auch wenn sie ihn seit 80 Jahren im Schilde führe, und dass es sich bei ihm im Kern um eine „Ideologie des aufsteigenden Bürgertums" handele.

Fortschritt gehört politisch immer dem, der davon profitiert. Heute ist auch das im Zuge der neuen Unübersichtlichkeit nicht mehr eindeutig entscheidbar; vor drei bis vier Jahrzehnten war es noch unzweifelhaft die SPD. Das rekapituliert der Politikwissenschaftler Frank Walter in einer Analyse der „Fortschrittsdesigner" Ende 2012 im *Freitag*: „Am Ende der ersten christdemokratischen Ära – in der zweiten Hälfte der sechziger Jahre – war die Sozialdemokratie als Partei der nach wie vor gesellschaftlich Zukurzgekommenen noch eine Aufstiegsbewegung. Und so war natürlich ebenso selbstverständlich, dass alle, die sich in den frühen siebziger Jahren jung, links, vorwärtsstürmend und reformorientiert wähnten, emphatisch auf der Seite des Fortschritts platzierten. ,Modernität' war die Zauberformel der Ära Willy Brandt. Und ,Planung' bildete den operativen Handlungskern. Und Politik sollte vorwegnehmend Probleme lösen, bevor sie überhaupt entstehen konnten."

Heute dagegen ist das Fortschrittsversprechen nicht nur für die Stammklientel der SPD etwas schal geworden, sondern auch für die „Neue Mitte", die in den vergangenen Jahren durch das „Säurebad realer Modernisierungsprozesse hindurchgegangen ist". In Großbritannien hat man das bereits erkannt, schreibt Frank Walter weiter: „Selbst im britischen Thinktank ‚Policy Network', der zu den wesentlichen Beratern der ‚Progressivisten' in der New-Labour-Zeit Anfang der 90er Jahre gehörte, fiel die Kritik am früheren Paradigma zuletzt scharf aus. Mit der Affirmation der Progressivität sei zugleich der Topos von der ‚Alternativlosigkeit' in die sozialdemokratische Rhetorik hineingerutscht." Das harmoniere jedoch zunehmend weniger mit dem heutigen Zeitgeist, so Walter, denn: „Je pluralistischer sich eine Gesellschaft entwickelt, desto weniger passt die kompakte Struktur einer geradlinigen Fortschrittskonzeption auf die Vielfältigkeit des Einzelnen." Gerade die neubürgerliche Mittelschicht habe deshalb ein Problem damit: „Die Mitte fürchtet den Kontrollverlust, setzt daher Fortschritt nicht mit Zukunftsgewissheit, sondern mit Zukunftsunsicherheit gleich. Man weiß nicht, was wird, ob überlieferte Werte und Maximen noch Gültigkeit haben. Fortschritt kann auch Entwertung bedeuten, muss nicht mehr mit stetiger Verbesserung übersetzt werden."

Der Fortschritt hat, mit anderen Worten, seine Unschuld verloren. Er hat seine infantile Naivität und seinen juvenilen Ungestüm abgestreift. Das heißt nicht, dass man ihn rundheraus ablehnen sollte. Man fällt nur nicht mehr so leicht auf das Kindchenschema des Fortschritts herein: Nicht alles Neue ist toll, und nichts ist toll, nur weil es neu

ist. Die Utopien der Vergangenheit mit ihren Haushalts-
robotern, fliegenden Autos und schwimmenden Garten-
städten, lösen bei uns bestenfalls noch sepiagetunkte Sen-
timentalität und retrofuturistische Nostalgie aus.

Und was sagt die Stein-Strategie dazu? Sind Steine kon-
servativ? Sie sind jedenfalls nicht blauäugig progressiv
und preschen vor in eine Zukunft, die sie sich erträumt
haben. Sie sind aber ebenso wenig reaktionär. Steine blicken nicht sentimental auf eine Vergangenheit, in die sie
sich zurücksehnen. Steine gehen buchstäblich und im
symbolischen Sinn mit dem Fluss.

Graue Energie

Die Lösungen von heute sind die Probleme von morgen.
Das ist unhintergehbar. Aber die größten Probleme der
Gegenwart sind entstanden, weil Menschen in der Vergangenheit ihre Zeitgebundenheit verkannt und ihre Zu-
kunftskompetenz überschätzt haben; weil sie Altbewährtes
abgeräumt und Pflöcke für die Zukunft eingeschlagen
haben, an deren Beseitigung wir uns heute abarbeiten dürfen. Am eindrücklichsten zu besichtigen ist diese Hybris –
die, siehe oben, unheilige Kombination aus unreflektierter
„Modernität" und aktionistischer „Planung" – im Städte-
bau. Ratlos stehen wir vor den in Beton gegossenen Ideo-
logien und Sozialutopien der europäischen Nachkriegs-
architektur, die ab den 1960ern den ansatzlosen Sprung in
die Ultramoderne wagte.

Einer, der das Verhängnis schon damals durchschaut hat, ist der Schweizer Ökonom und Architekturtheoretiker Lucius Burckhardt, der später für seine Erfindung der Spaziergangswissenschaften („Promenadologie") Insider-Berühmtheit erlangen sollte. 1970 schrieb er über die damaligen städtebaulichen Utopien und deren absehbares Scheitern: „Die Tatsache des heutigen Verkehrsproblems führt zu Entwürfen, welche die Stadt zu einer so totalen Verkehrsmaschinerie ausbauen, dass wesentliche Freiheitsmomente der Stadt verlorengehen. Die Tatsache der Langfristigkeit und Trägheit der Umwandlung des steinernen Bestandes der Stadt führt zu Mobilitätsutopien, die solche Flexibilität offerieren, dass sie weder bezahlt noch auch nur in Anspruch genommen werden kann. Solche Utopien übersehen, dass feste Standorte nicht wegen der Steine der Häuser stabil sind, sondern aufgrund der unsichtbaren Ordnungen und Hierarchien, die sich um einen einmal gewählten Standort einstellen."

Darin kommt ein feinfühliges Gespür dafür zum Ausdruck, dass Städte mehr sind als geplante und gebaute Infrastruktur, dass Orte eine Erinnerung haben, über die man sich nicht einfach hinwegsetzen sollte. „Design ist unsichtbar", heißt der bekannteste Satz von Burckhardt. Es steckt in den Protokollen und Routinen des Alltags, die sich ihren Weg durch die mineralische Stadt aus Stein bahnen. Burckhardts eigene städtebauliche Utopie, an deren konkreter Umsetzung er sich in seiner Studienstadt Basel aktiv beteiligte, lautete in etwa: Wenn es uns gelingt, das Gedächtnis des Ortes gegen die zeitgeistige Idee der autogerechten Umgestaltung zu verteidigen – die Autofixiertheit der Stadtplaner so lange auszusitzen, bis sie von selbst verschwindet –, dann ist schon viel gewonnen. Die Berliner Hausbesetzer der späten 1970er folgten einer ähnlichen impliziten Logik. Ganze Altbau-Straßenzüge sollten in Kreuzberg einer Stadtautobahn weichen, was nur durch hartnäckigen Widerstand der Besetzer und die Mobilisierung der Öffentlichkeit verhindert wurde. Heute gehört der Kiez mit seiner intakten Infrastruktur zu den begehrtesten Wohnlagen der Stadt, und die Bewohner machen mobil gegen die hereindrängende „Gentrifizierung".

Der Schweizer Architekt Lukas Imhof geht an der ETH Zürich im Geiste von Lucius Burckhardt der Frage nach, warum die Menschen, wenn man ihnen die Wahl lässt, eine ganz andere Architektur schätzen als jene, die seit dem avantgardistischen Aufbruch des Bauhauses in Architekturzeitschriften propagiert und gefeiert wird. *Midcomfort* nennen er und sein Mentor Miroslav Sik ihren in einer gleichnamigen Zeitschrift und demnächst in Buchform entwickelten Ansatz für eine reformorientierte Architektur, die dem Avantgardistischen eine Absage erteilt und stattdessen die Abstimmung mit den Füßen ernst nimmt. Am Ende steht dabei eine behutsam traditionalistische Bauweise, die auf bewährte Lösungen, Grundrisse und Materialien setzt, wie sie Menschen mögen und in denen sie sich wohlfühlen – und die auf alles Spektakuläre bewusst verzichtet. Oft sind das Hölzer, Steine und Ziegeln, die aus der geographischen Region stammen, und eine Formensprache, die dort verwurzelt ist.

Ein Haus, das bereits hundert Jahre steht, hat gute Chancen, weitere hundert Jahre in Benutzung zu sein. Entsprechend positiv fällt die Gesamt-Energiebilanz aus, auch wenn es im Betrieb etwas mehr Energie verbraucht. Bei radikal neuen Öko- und Niedrigenergiehäusern weiß man noch nicht, wie sie sich bewähren, ob sie nicht in 30 Jahren schon wieder abgerissen werden müssen und dann die Deponien füllen.

Die Skepsis gegenüber der radikalen Methode Abriss und Neubau unter dem jeweils aktuellen Paradigma erstreckt sich nicht nur auf das Bauen. Viele gutgemeinte Initiativen, die heute unter dem hehren Ziel des Klimaschutzes und der CO_2-Vermeidung angezettelt werden, verkennen, wie viel „Graue Energie" bereits in der vorhandenen Substanz steckt und wie viel für den Ersatz aufgewendet werden muss. Die Abwrackprämie für Altautos als Anreiz für den Kauf sparsamerer Neuwagen war in dieser Hinsicht eine Katastrophe. Auch das Verbot konventioneller Leuchtmittel zugunsten quecksilberhaltiger Energiesparlampen erscheint so in einem anderen Licht. Bezieht man die „Graue Energie" ein, fällt selbst die Umweltbilanz von Oldtimern, die nach 30 oder 50 Jahren immer noch auf den Straßen rollen, deutlich positiver aus. Umgekehrt muss bedenklich stimmen, dass es in Zukunft keine Old- oder auch Youngtimer mehr geben wird, weil alle ab ca. 1990 gebauten Autos mit derart viel versiegelter und verklebter Elektronik vollgestopft sind, dass kein Mensch sie jemals wird reparieren können.

Heutige Produkte bestehen im Durchschnitt nur aus 5 Prozent der Rohstoffe, die für den Prozess der Herstellung, Lieferung und Entsorgung benötigt und vernutzt werden. Der Chemiker Michael Braungart, der zusammen mit dem US-Architekten William McDonough das „Cradle to Cradle"-Konzept („von der Wiege zur Wiege") entwickelt hat, sieht darin die größte Herausforderung für das Produktdesign – und nicht in der Optimierung energetischer Effizienz und der Minimierung des CO_2-Fußabdrucks, worauf die gesamte Ökologiedebatte zwischenzeitlich zusammengeschrumpft war. Mit welchen Materialien designen wir Produkte, die nicht nur unschädlich sind, sondern sogar positive Nebeneffekte haben? Vor allem: Wie bekommen wir die Rohstoffe und Ressourcen, die in den Produkten stecken, so zurück, dass sie schadlos wieder sowohl in den ökologischen als auch technologischen Produktionskreislauf eingespeist werden können?

Wichtigster Engpassfaktor ist nach Braungarts Sichtweise nicht Energie, sondern es sind Rohstoffe wie Seltene Erden, Buntmetalle oder Phosphor, das über die Düngung der Felder in den menschlichen Nahrungskreislauf gelangt und über die Kanalisation unwiederbringlich im Meer verschwindet. Es geht dabei nicht um Vermeidung und Verzicht: Die Menschheit soll getrost einen großen Fußabdruck haben, solange er sich im Stoffwechselkreislauf des Gesamtökosystems positiv abbildet.

Rethinking Innovation

Die Hauptkritik der „Cradle to Cradle"-Vordenker an der heutigen Warenwelt lautet, dass sie fehlende Eleganz durch schiere Kraftanwendung kompensiert. „Stünde die erste industrielle Revolution unter einem Motto", schreiben Braungart und McDonough, „so würde es, wie wir gern witzeln, lauten: ‚Wenn rohe Gewalt nicht hilft, wendest Du nicht genug davon an.' Der Versuch, universelle Designlösungen einer unendlichen Zahl lokaler Bedingungen und Bräuche aufzuzwingen, ist eine Manifestation dieses Prinzips und der ihm zugrunde liegenden Annahme, die Natur sollte gebändigt werden. Das Gleiche gilt für die Anwendung roher chemischer Gewalt und fossiler Energie, um solche Lösungen ‚passend' zu machen."

Das Ergebnis sind massenindustriell hergestellte „crude products", wie die Autoren sie nennen: plumpe und primitive Produkte, die den optischen Standards und den meisten Kundenwünschen genügen, gerade lange genug halten, um den Hersteller seinen Schnitt machen zu lassen, aber in ihrer langfristigen Wirkung auf das Ökosystem völlig unkalkulierbar sind.

Innovation im Sinne von „Cradle to Cradle" heißt: das Bestehende radikal anders zu machen, 90 Prozent der in Gebrauch befindlichen Materialien wegzulassen, weil ihre langfristige Auswirkung fragwürdig ist, und Produkte so zu designen, dass wir am Ende problemlos wieder an die Rohstoffe kommen. Das Design-Ideal im Sinne der Stein-Strategie ist, weiter zugespitzt, das von rundgeschliffenen handschmeichlerischen Kieseln: formschön, praktisch und garantiert nicht gesundheitsschädlich. In einer optischen Anmutung, die so vertraut erscheint, als sei sie schon immer da gewesen. Alles, was davon signifikant abweicht, braucht eine gute Begründung. Vor diesem Hintergrund erscheint es angezeigt, nicht nur den linearen Fortschrittsbegriff, sondern auch den Hype um Innovationen einmal kritisch zu befragen. Sind es Innovationen, die uns wirklich noch zum Glück fehlen? Und suchen wir an der richtigen Stelle danach? Sollten wir nicht viel lieber das, was schon da ist, besser machen?

Den Begriff der Innovation verabschieden und durch etwas noch viel Geileres (englisch: „awesome") ersetzen – Umair Haque, ein unorthodoxer Management-Vordenker, macht diese Idee in seinem Blog auf der Website der *Harvard Business Review* stark: „Ich möchte eine Hypothese vorantreiben", schreibt er in seinem „Awesomeness Manifesto": „Awesomeness ist die neue Innovation." Innovation, das klinge doch langsam etwas abgestanden nach erster industrieller Revolution, zu sehr nach der etwas angestaubten Schumpeter'schen „kreativen Zerstörung", und führe aufgrund immer kürzerer Innovationszyklen zu „geplanter Obsoleszenz", der künstlich limitierten Lebenszeit von Produkten mit eingebauten Sollbruchstellen. „Awesomeness" dagegen stelle sich ein, wenn kreative Menschen, die ihre Arbeit lieben, reale bedeutsame Werte schaffen – Haque nennt es „thick value" – und Communities erleuchtet und inspiriert werden, weil sich ihr reales Leben dadurch verbessert: „Das ist eine bessere Form von Innovation, gebaut für das 21. Jahrhundert."

Man kann das für Begriffsakrobatik nach dem Schema redundanter Wahrheiten und „truisms" halten: Besser wär's, wenn's besser wär', und „longcat is looooong!" Aber Haque trifft einen wunden Punkt, wenn man bedenkt, wie undifferenziert der Begriff der Innovation eigentlich ist und wie einseitig er das Neue betont gegenüber dem qua-

litativ Hochwertigen. In dieselbe Richtung argumentiert
David Edgerton in _The Shock of the Old_, wenn er uns
ermahnt, nicht nur auf die spektakulären Technologien zu
schauen, sondern auch auf die niedrigen und weitverbreiteten: „Es gibt alternative Technologien, alternative Pfade
der Innovation. Die Geschichte der Innovationen ist nicht
die einer zwangsläufigen Zukunft, der wir uns unterwerfen
müssen, weil wir sonst sterben, sondern eine von fehlge-
schlagenen Zukunftsentwürfen und Zukünften, die fest in
der Vergangenheit verankert sind." Weshalb wir uns frei
fühlen sollten, alte Fäden wieder aufzunehmen, Verschol-
lenes wiederzuentdecken und Altbewährtes weiter zu verbessern.

Seit Neuestem blicken auch Innovationsforscher über
den Rand der Forschungs- und Entwicklungssilos von
Konzernen und Universitäten und entdecken nicht-tech-
nische und soziale Innovationen in Bereichen, wo man sie
lange Zeit nicht vermutet hat: im Gesundheits- und Bil-
dungssystem zum Beispiel, wo die täglichen Routinen im
Krankenhaus neu formatiert werden oder der Frontal-
unterricht zugunsten von Selbstlerngruppen aufgelöst
wird. Der britische Thinktank NESTA kommt in einer
Studie über solche „hidden innovations" zu dem Schluss,
dass diese lange Zeit übersehenen Quellen des Fortschritts
vermutlich ebenso wichtig für zukünftigen Wohlstand und
Prosperität sein können wie technische Neuheiten, auf
die alle Welt gebannt starrt. Umgekehrt hat vieles von
dem, was im vergangenen Jahrzehnt unter dem Label
„Innovation" lief und die Kreativität der klügsten und am
besten ausgebildeten Köpfe in den USA absorbiert hat,

dazu beigetragen, die Welt ein Stück ärmer und schlechter zu machen: innovative Finanzprodukte wie „credit default swaps" und „collateralized debt obligations" nämlich, die die Weltwirtschaft an den Rande des Abgrunds gebracht haben.

Ganz ohne Wachstum werden wir die Gesellschaft der Zukunft nicht gestalten können, das räumen selbst Kritiker des Wirtschaftswachstums ein – zumindest nicht, wenn wir bei unserer demographischen Entwicklung den Lebensstandard halten wollen. Ihre Kritik bezieht sich darauf, dass der Wohlstand einer Nation einzig am Bruttoinlandsprodukt bemessen wird, bei dem jeder Autounfall positiv zu Buche schlägt. Sie fordern eine „steady state economy", in der eine wachsende Wirtschaftsleistung von der Vernutzung fossiler Energien und materieller Ressourcen entkoppelt wird – was aufgrund der oben erwähnten Rebound-Effekte nicht allein dadurch zu erreichen ist, dass man die Effizienz steigert. Die einzigen Quellen für ein solches „qualitatives Wachstum" sind die Hinwendung zum „Cradle to Cradle"-Prinzip sowie soziale Innovationen im Dienstleistungs-, Bildungs- und Gesundheitssektor: Mehr Lebensqualität durch immaterielle Wertschöpfung – und weniger Quantität im materiellen Konsum!

Insofern kann das Postulat der Stein-Strategie in der Wachstumsfrage nicht lauten: Verzicht und Stillstand. Vielmehr muss das Ziel sein: ein beharrlicher Umbau in dieser Richtung bei moderatem Wachstum. Zu erreichen ist es, indem wir François Jullien folgend das „Potenzial der Situation" ausnutzen. Eine Blaupause dafür lieferte schon 1956 die an Marx und Keynes geschulte, leider etwas in

Vergessenheit geratene Ökonomin Joan Robinson mit ihrem „Golden Age" genannten Wachstumsmodell. In diesem Goldenen Zeitalter herrscht ein intakter Wettbewerb, die langfristige Wachstumsrate wird durch den technischen Fortschritt und die Zunahme des Arbeitskräftepotenzials bestimmt. Die Reallöhne wachsen mit der Produktivität pro Beschäftigtem – was in Deutschland seit einer Dekade schon nicht mehr der Fall ist. Das kann doch eigentlich nicht so schwer zu verstehen sein.

Antifragilität

Ein Goldenes Zeitalter, wo der Fortschritt in gleichmäßigem gemächlichem Tempo fortschreitet wie ein langer, ruhiger Fluss – schön wär's! Doch die Verhältnisse, sie sind nicht so. Irgendwas ist immer. Erstens kommt es anders, zweitens als man denkt. Dan Gardner zieht in *Future Babble* als Resümee aus der Analyse von Experten-Zukunftsprognosen: „Was am wahrscheinlichsten, oder gar sicher, erscheint, passiert nicht, während das, was passiert, etwas sehr Unerwartetes ist." Es wird immer externe Schocks geben, mit denen niemand gerechnet hat, und gefühlt häufen sie sich in letzter Zeit. Selbst wenn das Innovationstempo vielleicht nicht zugenommen hat, so doch die Volatilität der Märkte und damit die Schockanfälligkeit des Wirtschaftssystems.

Der gebürtige Libanese Nassim Nicholas Taleb hat selbst als Investor und Berater für Hedgefonds gearbeitet und ist damit reich geworden. Seine eigentliche Bestimmung sieht er aber darin, der Welt und insbesondere der Wall Street zu erklären, dass ihre Insassen in puncto Risikoanalyse auf dem Holzweg seien, bei stochastischen Wahrscheinlichkeiten vollständig im Dunkeln tappten und beim Verständnis des Zufalls in einer illusionären Scheinwelt lebten. Zum internationalen Star wurde er mit dem Buch *Der Schwarze Schwan*, das von der durchschlagenden Wirkung ausgesprochen unwahrscheinlicher Ereignisse und deren prinzipieller Unvorhersagbarkeit handelt. Es erschien 2007, ein Jahr, bevor mit der Pleite von Lehman Brothers eine Kettenreaktion in Gang kam, die genau in das „Schwarze Schwan"-Muster passte. Paradoxerweise brachte Taleb das die Reputation eines Sehers und Propheten ein, obwohl er genau darauf insistiert, dass man Schwarze Schwäne nicht vorhersagen könne. Er selbst sieht sich, manchmal etwas vollmundig, als Epistemologe, befasst mit der Zertrümmerung von Denkfehlern und falschen Gewissheiten.

Sein neuestes Werk, im Original heißt es *Antifragile*, erzählt davon, wie Systeme beschaffen sein müssen, um unerwartete externe Schocks nicht nur zu absorbieren, sondern daran zu wachsen – und es tritt all jenen „Fragelistas" vors Schienbein, die mit ihrem Effizienzstreben und ihren Kontrollphantasmen genau Gegenteiliges bewirken. Sie machen Systeme, wie Städte, Finanzmärkte, Verkehr, Politik und Wirtschaft, anfälliger und fragiler. Wie hochgezüchtete Monokulturen anfälliger für Schädlingsbefall sind als intakte und vielfältige Ökosysteme, so machen Investmentbanker, Unternehmensberater und Controller soziale Systeme anfälliger für externe Schocks, indem sie mit ihrem mathematischen Besteck das letzte Quäntchen an Effizienz herausquetschen.

Die mathematisch anspruchsvollen 500 Seiten heißen auf Deutsch etwas sperrig *Antifragilität*. „Unkaputtbar" wäre der passendere Titel gewesen: Taleb fragt sich, welche Faktoren die Selbstheilungskräfte in hoch vernetzten sozialen Systemen stärken. Vieles von dem, was er beschreibt, wissen Kybernetiker, Systemtheoretiker und Komplexitätsforscher seit langem, aber es bekommt durch Taleb noch einmal eine andere Verve und Nachdrücklichkeit.

Talebs schlagende Referenz für Antifragilität sind natürliche Ökosysteme und der Prozess der Evolution selbst. Zuwanderer und Eindringlinge werden integriert, indem sich Nahrungsketten neu organisieren, Schädigungen am Erbmaterial treiben über die natürliche Auswahl das System als Ganzes voran. Stoffwechselprozesse und Fließgleichgewichte, Mutation und Selektion sowie Diversität und Artenvielfalt sind Kennzeichen antifragiler Systeme.

Einer der Schlüsselbegriffe zur Beschreibung solcher Systeme ist „Resilienz". Unter dem Eindruck der Finanzkrise hat dieses Wort eine erstaunliche Konjunktur erfahren und ist aussichtsreichster Kandidat, das Schönwetterprogramm „Nachhaltigkeit" zu beerben. Ursprünglich aus der Physik und Werkstoffkunde stammend, wo Resilienz die Eigenschaften elastischer und gleichzeitig robuster Materialien bezeichnet, machte der Begriff zunächst in der Pädagogik Karriere. Anfang der 1970er zog ihn die Entwicklungspsychologin Emmy E. Werner heran, um zu erklären, warum manche im Rahmen einer Langzeitstudie von ihr untersuchten Kinder der Hawaiinsel Kauai, die unter extrem widrigen Umständen aufwuchsen, dennoch später zu gesunden und selbstbewussten Persönlichkeiten heranreiften. Von dort wanderte er in die Organisationsforschung, wo Urbanisten, Trendforscher und Unternehmensberater das R-Wort für sich entdeckten – als Chiffre für all das, worauf es in krisengeschüttelten Zeiten ankommt.

Was wir von der Natur in Sachen Resilienz lernen können: Eine hochgezüchtete Monokultur ist zwar hocheffizient, aber auch sehr anfällig gegen Schädlingsbefall. Ein vielfältiges Biotop ist dagegen sehr viel resilienter gegenüber Schocks und Eindringlingen.

Organisationen und Institutionen, die überleben wollen, müssen sich also fragen, was ihnen wichtiger ist: Effizienz oder Resilienz. Dieser „trade-off" erfordert eine strategische Entscheidung, die im Sinne von Richard Rumelts „good strategy" nicht lauten kann: beides. Man kann den Kuchen nicht essen und gleichzeitig haben. Will man ein resilientes System schaffen, dann heißt das: Redundanzen, Überlappungen, Schlupf zuzulassen und als etwas Notwendiges und Wertvolles zu akzeptieren. Das bedeutet – Manager müssen jetzt tapfer sein! –: Nicht das Letzte an Effizienz aus dem System herauszuquetschen, sondern Puffer vorzuhalten und Taschen von Überaufwand zuzulassen. Bei Mitarbeitern muss das Prokrastinieren, das Nichtstun als wertvolle Ressource, für den Ernstfall akzeptiert werden. Wer weiß, wofür es mal gut ist. Der nächste Schwarze Schwan lauert schon hinter der kommenden Ecke.

Je größer die Vielfalt innerhalb eines Systems ist, desto besser ist das System in der Lage, mit unvorhersehbaren Umweltsituationen klarzukommen. Das besagt eine der wichtigsten Erkenntnisse der Kybernetik, die unter dem Namen „Law of Requisite Variety" bekannt ist. Für Konzerne heißt das etwa: Wenn sie es draußen am Markt mit zunehmend fragmentierten und heterogenen Zielgruppen zu tun haben, dann muss sich diese Vielfalt auch im Inneren abbilden. Nur so lassen sich angemessene Antworten auf zukünftige Umweltanforderungen finden: Weiße deutsche schlipstragende Männer mittleren Alters tun sich schwer damit, die richtigen Mobilitätskonzepte für berufstätige Mütter im aufstrebenden Slumviertel von Mumbai zu entwickeln. Das ist ein starkes Argument dafür, das Thema „diversity" in Konzernen nicht weiterhin unter „Gedöns" und „nice to have" abzutun: Es handelt sich dabei um eine essentielle Überlebensnotwendigkeit.

Postheroisches Management

Eine weitere Lehre, die wir aus der systemischen Betrachtung ziehen können, betrifft die Steuerbarkeit von komplexen sozialen Systemen. Die wird nämlich, man ahnt es, gemeinhin überschätzt. Diese Selbstüberschätzung der Wirksamkeit eigener Steuerung und Planung ist wiederum ein konstitutiver Faktor im System Management. Matthew Stewart, ein studierter Philosoph, der sieben Jahre in einer Management-Beratung gearbeitet hat, spricht sogar vom

„Mythos Management". Er sei, so berichtet er von seiner Zeit unter Managern, ohne jegliche Wirtschaftskenntnisse stets gut durchgekommen, indem er Phrasen wie „Out-of-the-box-thinking", „Win-win-Situation" oder „Kernkompetenzen" abgesondert habe. Die verstörendste Lernerfahrung sei für ihn jedoch gewesen, wie hoffnungslos unterkomplex das Weltbild nicht nur von Managern sei, sondern auch das der gängigen Management-Theorie.

Stewarts vernichtendes Urteil über die Bestseller in der aktuellen Management-Literatur lautet: „Jede neue Mode richtet die volle Aufmerksamkeit auf die eine oder andere Tugend – zuerst ist es Effizienz, dann Qualität, dann Kundenzufriedenheit, dann Zulieferzufriedenheit, dann Selbstzufriedenheit und am Ende auf einmal wieder Effizienz. Wenn das an die zahnlosen Weisheiten der Selbsthilfe-Ratgeber erinnert, dann rührt das daher, dass Management-Theorie im Wesentlichen ein Subgenre von Selbsthilfe ist." Dennoch oder deshalb werde alles stets mit einer „päpstlichen Unfehlbarkeit" vorgebracht, die einen in den Wahnsinn treibe. Wen das jedoch nicht anficht, das sind die Manager in ihrer Gewissheit, das Richtige zu tun.

Ein komplexes soziales System ist keine Uhr, die man aufzieht. Deshalb geht auch die mechanistische Idee von Mitarbeitermotivation an der Realität vorbei, Reinhard K. Sprenger, einer der Klügeren unter den Management-Vordenkern, spricht gar vom „Mythos Motivation".

Eine Organisation ist auch kein Auto, in das man einsteigt und losfährt, indem man den Zündschlüssel dreht und das Gaspedal tritt. Nassim Taleb nennt diese im

Management weitverbreiteten Vorstellungen linearer Wirksamkeit „naive Intervention". Sie entständen meist aus dem Zwang heraus, „etwas zu tun", und bewirkten in aller Regel nichts oder das Gegenteil des Beabsichtigten, weil sie in vollkommener Ignoranz gegenüber der Eigenlogik und nonlinearen Dynamik des Systems entstünden.

Vieles darüber kann man bei Niklas Luhmann und seinen Schülern nachlesen. Dirk Baecker, der bekannteste, hat die Lehren aus der Eigenlogik von Organisationen schon 1994 auf das Schlagwort vom *postheroischen Management* gebracht, was allerdings bis heute nicht wirklich bis zu den Verantwortlichen durchgedrungen ist. Unterhaltsamer, dabei in der Sache vollkommen ernst, hat sie der amerikanische Autor und Ex-Kinderarzt John Gall in einen Ansatz überführt, den er „Systemantics" nennt. Seine erste, allerwichtigste und uns umgangssprachlich als „never change a running system" vertraute Regel lautet: „Neue Systeme bedeuten neue Probleme."

Man kann es nicht oft genug betonen. Im Vorwort zur dritten Auflage seiner *Systemantics*-Bibel fasst Gall noch einmal zusammen, was man aus seiner Sicht beherzigen sollte, bevor man beginnt, an komplexen Systemen herumzumanipulieren: „Wir jedoch bleiben treu bei unserer ursprünglichen Position von Demut und Vorsicht, wenn wir es mit Systemen egal welcher Größe zu tun haben. Die jüngste Erfahrung hat uns erneut die absolute Notwendigkeit dieser doppelten Haltung gelehrt, und wir riskieren den Verdacht, dass kein noch so gewaltiger Fortschritt bei der Erforschung von Systemen uns jemals davon abbringen wird. Ein System verfügt nach allem, was wir wissen, über eine partielle Intelligenz; es nimmt Teil am großen Geist des Universums; solange wir selbst nicht über einen direkteren Draht zum Weltgeist verfügen, sind wir verdammt gut beraten, auf unsere Fußstapfen zu achten. Systeme mögen es gar nicht, wenn an ihnen herumgebastelt und herumgefrickelt wird. Sie reagieren aus Selbstschutz; der unbedachte Eindringling läuft sehr wohl Gefahr, einen unerwarteten Schock abzubekommen."

Nassim Taleb ist, ganz auf dieser Linie, kein Freund von strategischer Planung in Unternehmen. Er hält sie aus den genannten Gründen für „abergläubisches Geschwafel". Als Beleg führt er in *Antifragile* eine Liste von Unternehmen an, die einmal ganz woanders gestartet als sie heute gelandet sind: „Coca-Cola begann als pharmazeutisches Produkt. Tiffany & Co., die Marke für Luxusschmuck, kam als Schreibwarenladen zur Welt. Das mag noch naheliegend erscheinen, aber wie sieht es hiermit aus: Raytheon, die das erste Raketensteuerungssystem gebaut haben, waren einmal eine Kühlschrankfirma (…). Noch krasser: Nokia, bis vor Kurzem Weltmarktführer bei Mobiltelefonen, begann als Papiermühle (zwischenzeitlich waren es mal Gummistiefel). DuPont, heute bekannt für Teflonbeschichtung in Pfannen, Arbeitsflächen aus Corian und das Hartplastik Kevlar, sind tatsächlich als Hersteller von Sprengstoff gestartet. Die Wurzeln des Kosmetik-Herstellers Avon liegen im Haustürverkauf von Druckerzeugnissen."

Solche Schwenks und Neupositionierungen – Taleb nennt sie „rational-opportunistische Business-Drift" – plant kein noch so großer Visionär und heroischer Manager am Reißbrett. Sie sind das langfristige Resultat davon, dass Systeme aus Selbstschutz und Überlebenswillen auf eine sich wandelnde Umgebung reagieren und dabei ausreichend Beinfreiheit genießen, um immer wieder Standbein und Spielbein vertauschen zu können. „Schuster, bleib bei deinen Leisten!" ist somit nur die eine Seite der Stein-Strategie. Die andere Seite klingt nach Zen-Weisheit, stammt in Wahrheit aber von Deng Xiaoping, der damit bildhaft die chinesische Reformpolitik nach 1978 ankündigte: „Nach den Steinen tastend den Fluss überqueren."

Ein Woody-Allen-Filmtitel übersetzt das prägnant in das Vokabular des westlichen Pragmatismus: *Whatever works*. Wir sollten mehr Respekt vor der Eigensinnigkeit von Systemen haben, denn sie wissen schon, was sie tun. Demut und Vorsicht sind dabei Eigenschaften, die wir uns gut bei den Steinen abschauen können. Sie kommandieren niemanden herum, sondern suchen sich und finden ihren Platz, indem sie in das System hineinhorchen, ihrer Eigengravitation folgen und sich den Kräften hingeben, die auf sie wirken. Alles rüttelt sich.

Laissez-passer

Man kann gegen den Charismatiker und ehemaligen Brioni-Kanzler Gerhard Schröder sagen, was man will – wenn jemals ein Politiker die Lehren des „postheroischen Managements" internalisiert und das mit der Eigenlogik von Systemen kapiert hat, dann war er das.

Ein ehemals enger Mitarbeiter von Schröder, der mit ihm 1998 ins Kanzleramt eingezogen war, berichtete mir einmal – wir saßen nebeneinander im Flugzeug und kamen ins Gespräch – aus den Anfangstagen von Schröders Kanzlerschaft: Schröder und sein engster Mitarbeiterkreis flogen mit einem Regierungshubschrauber von Berlin zu einem Termin in Westdeutschland. Die niedrige Flughöhe eröffnete eine ungewohnte Perspektive auf die im Streiflicht der Abendsonne daliegende Landschaft. „Wisst ihr", wandte sich Schröder irgendwann an die Begleiter, nachdem er eine Weile versonnen aus dem Fenster geschaut hatte, „dieses Land ist so groß – das regiert sich eigentlich wie von selbst". Unter diesem heiter-pragmatischen Überbau stand die Anfangszeit der Schröder'schen Regierung, bis seine Mannschaft bald eines Besseren belehrt wurde und im Kosovo-Krieg harte Entscheidungen fällen musste. Da war die Zeit der leeren Seiten im Buch der deutschen Geschichte erst einmal vorbei.

Dennoch lag Gerhard Schröder mit dem, was er später unvorsichtig als „Politik der ruhigen Hand" ausgeben sollte, im Kern richtig. Auch Staaten und Gemeinwesen sind Öltanker, die sich nicht mit einem Reißschwenk nach links oder rechts steuern lassen.

Zuletzt musste das der Sozialist François Hollande erfahren, als er, im Mai 2012 zum französischen Staatspräsidenten gewählt, als erste Amtshandlung eine Kampagne gegen die Reichen im Lande ritt. Sein in der Sache vielleicht gar nicht einmal falscher Vorstoß, den Spitzensteuersatz auf 75 Prozent anzuheben, wurde ihm um die Ohren gehauen.

Es muss im Gegenzug ja nicht gleich das gute alte Laissez-faire im neuzeitlichen Gewand neoliberaler Deregulierungspolitik sein. Glücklicherweise haben wir Lasalles Nachtwächterstaat weit hinter uns gelassen; ein komplexes Gemeinwesen, wie es eine moderne Industrienation nun einmal ist, braucht einen starken Staat mit Institutionen, die ihre Gestaltungsrolle wahrnehmen.

Etwas mehr Laissez-passer, Dinge geschehen lassen, täte auf der Ebene exponierter Top-Politiker jedoch sehr gut. Dem medialen Action bias zu entkommen, würde bedeuten, nicht über jedes hingehaltene Stöckchen zu springen, nicht immer sofort ein Statement parat zu haben und nicht in jeder Talkshow zu sitzen. Begreift man die Rolle des Spitzenpolitikers mit Demut und Vorsicht – das hat Angela Merkel schon richtig erkannt –, dann geht es beim Regieren letztlich um Schadensbegrenzung. Das Land regiert sich bis zu einem gewissen Grad ganz gut von allein, wenn ihm die Politik nicht andauernd mit verwegenen Initiativen und neuen Ideen dazwischenfunkt.

Wenn es dann noch gelingt, während der Amtszeit das Potenzial der Situation richtig zu erkennen und ein paar gewichtige Steine ins Rollen zu bringen, dann ist schon viel gewonnen und der eigene Platz in den Geschichtsbüchern so gut wie gesichert. Es geht nicht darum, viel anzuzetteln, sondern weniges Großes zu bewirken. Wie überall läuft es auf den alles entscheidenden Unterschied hinaus: gut gemeint versus gut gemacht. Die Chancen, Letzteres zu erreichen, sind jedoch ungleich höher bei einem Politikstil *sine ira et studio*, ohne Zorn und Eifer. Wenn, wie Max Weber feststellte, Politik „das Bohren dicker Bretter" ist, dann braucht es dafür Politiker, die gegen Zorn und Eifer immun sind. Es braucht mit einem schönen Wort, das Peter Sloterdijk ausgerechnet in *Zorn und Zeit* anbringt: „belastbare Langeweiler". Sofort fallen einem Politikerfiguren wie Rudolf Seiters oder Hans Eichel ein – geborene Stein-Menschen.

Eine weitere einschneidende Empfehlung hält Mathias Binswanger, der Autor und Erfinder der *Tretmühle des Glücks*, für uns parat. In seinem neueren Buch *Sinnlose Wettbewerbe* zieht er gegen den aktionistischen Irrsinn zu Felde, den Wettbewerbsgedanken überall dort einzuführen, wo er nichts verloren hat. Bei funktionierenden Märkten, auf denen es darum geht, mittels Innovationen oder „Awesomeness" die Gunst der Konsumenten für sich zu gewinnen, hat der Wettbewerb seine Berechtigung. Nicht jedoch bei der Grundversorgung, bei hoheitlichen Aufgaben und in Bereichen, wo kluge Menschen in Ruhe einer verantwortungsvollen und für die Gemeinschaft wichtigen Aufgabe nachgehen sollen: in der Wissenschaft sowie im Gesundheits- und Bildungswesen. Dort, so Binswanger, führt er „statt zu mehr Effizienz zur Produktion von immer mehr Unsinn" und kostet alle Beteiligten Zeit, Kraft und Nerven.

Es soll nicht alles so bleiben, wie es ist, aber gut gemeinten Unsinn mit negativen Folgen möge man uns doch bitte ersparen. Stein-Strategen im Politischen sind keine Betonköpfe. „Den Sozialismus in seinem Lauf, hält weder Ochs' noch Esel auf", glaubten die Top-Führungskräfte der DDR – und bekamen durch ihre Bevölkerung die Quittung. Sie hatten nicht auf den Eigensinn des Systems gehört. So wird es allen ergehen, die sich im Besitz ewiger Wahrheiten wähnen und zu große Pläne machen. Das hätten sie beim Staatsdichter Brecht nachlesen können.

In der weltpolitischen Gegenwart wäre ein Schwenk von der atemlosen Kurzfristigkeit hin zu einer langfristigeren Orientierung alles in allem jedoch wünschenswert. Wir verweisen an dieser Stelle auf die Website der „The Long Now Foundation" (longnow.org). Gegründet im Jahr 1996 als „very long term institution" hat sich diese Organisation auf die Fahnen geschrieben, verantwortliches Denken in sehr großen Zeiträumen zu befördern. Diese Betrachtungsweise der Welt ist den Steinen sehr vertraut und genießt unter ihnen hohes Ansehen und große Sympathie.

Lifestyle of resilience

Ohne ins kulturpessimistische Horn zu blasen, scheint das heutige Leben einer enervierenden Beschleunigung unterzogen zu sein – Hartmut Rosa spricht von „mehr Handlungsepisode pro Zeiteinheit" –, woran die modernen Kommunikationstechnologien nicht ganz unschuldig sind. Die Folgen sind (obwohl das Fin de Siècle doch bereits hinter uns liegt) ein allgemeines Ennui, eine Dünnhäutigkeit und Gereiztheit, die es mit der Neurasthenie der letzten Jahrhundertwende durchaus aufnehmen kann.

So schreibt Frank Partnoy in *Wait*: „Unter dem Einfluss der hohen Taktung modernen Lebens reagieren die meisten von uns tendenziell zu schnell. Wir wollen oder können uns nicht genug Zeit lassen, über die zunehmend komplexen Fragen des Timings nachzudenken. Technologie umgibt uns und beschleunigt uns. Wir fühlen den Druck Tag für Tag, sowohl bei der Arbeit als auch zu Hause."

Letztlich wird sich – diese Zukunftsprognose wage ich zum Ende dieses Buches, auch auf die Gefahr hin, mich nach Philipp Tetlocks Definition zum Igel zu machen – auch dieses momentan heiß gehandelte Problem des Burnout wie von selbst lösen, indem der anpassungsfähige Mensch seinen erlernten Egotechniken eine weitere hinzufügt, und zwar die der Informationshygiene: Wie wir gelernt haben, uns zum Schutz vor Krankheitserregern regelmäßig zu waschen und die Küche einigermaßen sauber zu halten, so werden wir auch einen vernünftigen, gesunden und allgemein akzeptierten Umgang mit der vermeintlichen Informations- und Kommunikationsflut finden. Wie der britische Medientheoretiker Clay Shirkey richtig formuliert hat: „It's not information overload, it's filter failure."

Aus dem LOHAS, dem „Lifestyle of health and sustainability", der uns schon aus den Ohren herausquillt, wird sich der LOR herausschälen: der „Lifestyle of resilience". Und die Menschen werden gelernt haben, ihre technischen und sozialen Filter richtig einzustellen, sich auf das Wesentliche zu konzentrieren und nicht jede Spam-Mail innerhalb von fünf Minuten zu beantworten. Zum Propheten dieses neuen Lebensstils – und Vorkämpfer gegen das Schönwetterprogramm der „kalifornischen Ideologie" – schwingt sich ausgerechnet der gefallene Schriftsteller-Superstar Bret Easton Ellis auf. In seinen Romanen von *Unter Null* über *American Psycho* bis *Glamorama* war er lange Zeit teilnehmender Chronist des dekadenten Yuppie- und Fashonista-Jet-Sets der Ost- und Westküste. Im April 2013 wettert er nun ganz unverhohlen gegen den gut gelaunten Totalitarismus aus ökologischem Verhalten, positivem Denken und permanenter Selbstoptimierung: „Jeder ist also nett zu jedem. Jeder bekommt eine Eins. In einer perfekten Welt wäre das großartig. Aber leider leben wir nicht in dieser Welt. Wenn Du nicht begreifst, dass die Widrigkeiten des Lebens dir ab und zu in die Fresse schlagen, wirst Du irgendwann Selbstmord begehen. Härte dich besser ein bisschen ab. Gewöhne dich daran, dass die Welt nervt." Der Lifestyle of resilience beginnt mit der Einsicht, dass zu viel positives Denken irgendwann ins Negative umschlagen muss. Die Volkskrankheit Burnout ist nur die zwangsläufige Kehr- und Schattenseite einer auf Freundlichkeit getrimmten Überbetriebsamkeit.

Gegenwärtig stecken wir aber noch mitten drin im Schlamassel der Anpassungsphase und begegnen der neuen Fülle an Möglichkeiten durch ein Zuviel an Kommunikation. Ernüchternd, wenn man in der guten alten *Süddeutschen Zeitung* im Oktober 2012 lesen muss: „Aber stimmt das überhaupt, die Theorie von der Umwälzkraft des Internet und der Chips, verbunden mit einer anderen Art zu leben? Es spricht vieles dafür, dass es sich um tiefen Glauben handelt. Tatsächlich sind die Wachstumsschübe durchs Internet ausgeblieben." Der Nobelpreisträger Robert Solow hatte dieses „Produktivitätsparadoxon" schon 1987 beobachtet, das sich bis heute in zahlreichen Studien bestätigt, und geunkt: „Das Computerzeitalter schlägt sich überall nieder, außer in der Produktivitätsstatistik." Kein Wunder, möchte man ergänzen, wenn man sich anschaut, WIE in heutigen Unternehmen gearbeitet und kommuniziert wird.

Die Französin Corinne Maier hatte als eine der wenigen durchschaut, wie sehr die angebliche „Wissensarbeit" mittlerer Angestellter heute in Zeitverschwendung diffundiert, und während ihrer Arbeitszeit bei einem Erdöl-Konzern das ketzerische Buch *Die Entdeckung der Faulheit* geschrieben, in dem sie genau das offenlegt. Als das Buch 2004 erschien, wurde sie sofort gefeuert; vorher war niemandem aufgefallen, dass sie, statt sich an der allgemeinen Arbeitssimulation zu beteiligen, ihre Zeit lieber sinnvolleren und produktiveren Dingen wie ihrem Buch widmete.

Das Wesen heutiger Wissensarbeit mit hohen Anteilen von Kreativität und Kommunikation besteht gegenüber der tayloristischen Industriearbeit darin, dass es kein lineares Verhältnis von Input und Output mehr gibt. Vielmehr findet die eigentlich wertschöpfende Arbeit in wenigen Handlungsepisoden pro Arbeitstag statt. Der Rest ist Beiwerk, Garnitur, Folklore und kommunikatives Rauschen. Jeder freischaffende Kreative weiß das, aber die anachronistischen zeitbasierten und auf Präsenzkultur pochenden Arbeitsregime sind nicht in der Lage, das angemessen abzubilden. Also gehorcht man willfährig „Parkinson's Law", füllt die verordnete Arbeitszeit, indem man die Zeit totschlägt, indem man Projekte anzettelt, Meetings abhält oder dem Zeitvertreib „CC: an alle" frönt. Die ersten Unternehmen der Kreativwirtschaft sind mittlerweile dazu

übergegangen, nicht wie VW nach Feierabend die Mana-
ger-Babyphones, vulgo: Diensthandys, abzustellen, sondern täglich eine „Silent Hour" einzuführen, in der keine
Emails abgerufen werden können und keine Telefonate
durchgestellt werden. Angeblich dient die Maßnahme zur
Stress- und Burnout-Prävention. Der wahre Grund ist
aber: Man will sicherstellen, dass Mitarbeiter wenigstens
eine Stunde am Tag produktiv sind und sich dem widmen,
wofür sie bezahlt werden. Eine Stunde!

„Relax! You'll Be More Productive" war im Februar 2013
ein Meinungsbeitrag in der *New York Times* überschrieben.
Darin referiert der Autor Tony Schwartz, selbst Gründer
einer Zeitberatungsagentur, den aktuellen Forschungsstand zum Thema Produktivität: „Paradoxerweise könnte
der beste Weg, mehr erledigt zu bekommen, sein, weniger
zu tun. Ein frischer und wachsender Korpus interdiszi-
plinärer Studien belegt, dass strategische Rekreation –
inklusive Workouts während der Arbeitszeit, ein kurzes
Nickerchen am Nachmittag, länger schlafen, mehr Zeit
außerhalb des Office sowie längerer und häufigerer Ur-
laub – die Produktivität befeuern, die Arbeitsperformance
befördern und, natürlich, der Gesundheit zuträglich sind."
Vielleicht begreifen es die Arbeitgeber ja irgendwann, dass
viel nicht viel hilft und weniger manchmal mehr sein kann.
Und eigentlich könnten sich die Gewerkschaften des Themas Arbeitszeitverkürzung auch mal wieder annehmen,
anstatt es allein der Linkspartei zu überlassen.

Nicht-Handlungsempfehlung

Es wird zu viel unternommen. Punkt. Es ist an der Zeit, die Passivität als produktive Ressource zu rehabilitieren, wie es die Kulturwissenschaftlerin Kathrin Busch in ihrem verdienstvollen Büchlein *Passivität* aus der Reihe „Kleiner Stimmungsatlas in Einzelbänden" tut. Anstatt lediglich den Müßiggang, das Rasten und Pausieren als notwendige Unterbrechung der allgemeinen Hektik und Hyperaktivität zu Zwecken der Rekreation zu propagieren, „gilt es, die Vernachlässigung des Passiven gründlicher zu revidieren, indem man das Verhältnis von Aktivität und Passivität überdenkt. Was sich dabei zeigt, ist, dass die Passivität sehr viel weiter in das Aktivsein hineinreicht und man ihre eigene Wirksamkeit und Kraft noch freizulegen hat." Auch in Hinblick auf eine Theoriebildung der Passivität gibt es also noch viel zu tun. Warten wir's ab.

Weniger als an einer Kultur des Scheiterns fehlt es in Deutschland an einer Kultur des Nicht-Handelns und des Bleiben-Lassens. Kathrin Passig, Autorin zahlreicher lesenswerter Sachbücher über Unwissen, Verirren, Prokrastination und das Internet, hegte lange Zeit die Idee, eine Verhinderungsagentur zu gründen, die nichts anderes tut, als Unternehmen ihre Flausen auszureden und sich dafür fürstlich bezahlen zu lassen. Sie hat es bleiben lassen. Dafür hat sie, angelehnt an das Außerirdischen-Such-Projekt SETI, zusammen mit Freunden das WETI-Institut gegründet (weti-institute.org). Statt „Search for Extraterrestrial Intelligence" steht WETI für „Wait for Extraterrestrial

Intelligence" – man wartet ab und lässt sich von den Außerirdischen finden. Bisher waren beide Projekte ungefähr gleich erfolgreich.

Das Prinzip funktioniert auch in Mode- und Stilfragen: die Überlistung der Fashion-Tretmühle durch Ausharren. Man muss nicht schneller sein als die Meute. Man kann wie der Igel in der Furche sitzen und warten, bis der eigene Stil in Form eines Retrotrends wieder in ist. Dass Staying put eine probate Strategie im Hipster-Rattenrennen ist, beglaubigt kein geringerer als der „Godfather of hipness", Andy Warhol himself.

In *The Philosophy of Andy Warhol* legt er dar: „Wenn eine Person die Schönheit der Stunde ist, und ihr Look wirklich in Style ist, und wenn dann die Zeiten und der Geschmack sich ändern und zehn Jahre ins Land gehen, und sie behält den Look bei, verändert nichts daran und gibt gut auf sich acht, dann wird diese Person immer noch eine Schönheit sein."

Das gilt, wie uns Warhol weiter unterweist, nicht nur für die individuelle Stilpolitik, sondern auch für das Auftreten im Geschäftsverkehr: „Schraff's Restaurant war die Schönheit der Stunde. Dann versuchten sie, mit der Zeit zu gehen und bauten um und bauten um, bis sie ihren Charme vollständig eingebüßt hatten und von einer großen Kette geschluckt wurden. Hätten sie nur ihren Look und Style beibehalten, wären sie heute der beste Ort der Welt." Und ein für allemal: „Du musst auch in Phasen bei der Stange bleiben, in denen dein Stil nicht populär ist, denn, wenn er gut ist, kommt er zurück, und du wirst wieder als Schönheit wahrgenommen."

Abwarten und Tee trinken: Am Ende ist das „very british". Wie im Grunde die gesamte Stein-Strategie etwas sehr Britisches hat. Als „tongue in cheek" bezeichnet man eine Sonderform der britischen Ironie, die die Dinge zwar todernst meint, aber nicht ganz.

In einem kleinen Buchladen in Almwick, Northumberland nördlich von London, wurde vor gut zehn Jahren ein Poster entdeckt, das aus der Zeit des Zweiten Weltkrieges stammt. In schönen kompakten Versalien, gekrönt von der Krone King Georges VI., steht darauf eine simple Botschaft an die britische Bevölkerung: „KEEP CALM AND CARRY ON." Der Satz stammt nicht, wie gern behauptet, von Winston Churchill und wurde seinerzeit auch niemals öffentlich plakatiert. Das Plakat wurde von der Regierung in der Hinterhand gehalten, gedacht als Beruhigungsmaßnahme für den Fall, dass die Deutschen tatsächlich die Inseln entern und erobern würden. Nach der Wiederentdeckung erlebte das Motiv einen wundersamen Boom, wurde weltweit reproduziert, kopiert und parodiert. Die Popularität zeigt, dass es eine weitverbreite und wachsende Sehnsucht danach gibt, in bewegten Zeiten die Ruhe zu bewahren und weiterzumachen. Und besser lässt sich die Botschaft der Stein-Strategie kaum auf den Nenner bringen, weshalb das Motiv auch für die Typographie auf dem Cover dieses Buches Pate stand. Also: Keep calm and carry on!

P. S.: Und sie bewegen sich doch. In der Racetrack Playa, einer ausgetrockneten Ebene des kalifornischen Death-Valley-Nationalparks, gibt es das mysteriöse Phänomen der „Wandernden Steine": Felsbrocken von mehreren hundert Kilo Gewicht legen weite Strecken zurück, mal schnurgerade, mal in abenteuerlichen Windungen, und hinterlassen dabei lange Schleifspuren im planen Sand. Niemand hat die Bewegung der Steine live beobachten können. „Ein bewachter Stein rollt nicht", besagt eine alte indianische Weisheit. Kürzlich wurden ein paar Felsbrocken mit GPS-Empfängern ausgestattet, um dem Mysterium auf die Schliche zu kommen. Vermutungen stehen im Raum, die mit Wind, Eis und einem bakteriellen Schleimfilm zu tun haben. Aber kein Mensch hat bis heute wirklich verstanden, wie und warum sie das tun. Die Steine selbst werden es wissen.

LITERATUR

Adams, Douglas: *Per Anhalter durch die Galaxis.* Hamburg 1981

Akerlof, George: „Procrastination and Obedience." In: *The American Economic Review* 81/2 1991

Baecker, Dirk: *Postheroisches Management.* Berlin 1994

Beck, Ulrich: „Über den Merkiavellismus." (Interview) In: *Frankfurter Allgemeine Zeitung*, 17.1. 2013

Benn, Gottfried: *Der Ptolemäer.* Stuttgart 1988

Bernau, Patrick: „Nur die Ruhe bewahren." In: *Frankfurter Allgemeine Sonntagszeitung*, 2.2. 2013

Binswanger, Mathias: *Die Tretmühlen des Glücks.* Kommissionsdrucksache 17(26)79 des Deutschen Bundestages, 21.3. 2012

Binswanger, Mathias: *Sinnlose Wettbewerbe. Warum wir immer mehr Unsinn produzieren.* Freiburg 2010

Birnbacher, Dieter: *Tun und Unterlassen.* Stuttgart 1995

Braungart, Michael und William McDonough: *Einfach intelligent produzieren. Cradle to Cradle: Die Natur zeigt, wie wir Dinge besser machen können.* Berlin 2003

Brunner, Bernd: *Die Kunst des Liegens. Handbuch der horizontalen Lebensform.* Berlin 2012

„Buddhismus bizarr: Kohl droht mit Wiedergeburt!" In: *Titanic* 3/1994

Burckhardt, Lucius: *Städtebauliche Utopien – Was hindert ihre Verwirklichung?* N.N. 1970
http://www.lucius-burckhardt.org/Texte/Lucius_Burckhardt.html

Busch, Kathrin: *Passivität.* Hamburg 2012

Carroll, Lewis: *Alice Hinter den Spiegeln.* Frankfurt a. M. 1974

Carroll, Lewis: *Alice im Wunderland.* Frankfurt 1973

Christensen, Clayton: *The Innovator's Dilemma.* New York 2000

Clausewitz, Carl von: *Vom Kriege.* Kindle-Edition

Crowley, Aleister: *Little Essays Towards Truth.* Las Vegas NV 1996

De Landa, Manuel: *A Thousand Years of Nonlinear History.* New York 1997

De Vany, Art: *The New Evolution Diet.* New York 2011

Dobe, Bettina: „,Clemens en August' verkauft Kollektion." In: *Die Welt,* 22. 3. 2012

Dobelli, Rolf: *Die Kunst des klaren Denkens. 52 Denkfehler, die Sie besser anderen überlassen.* München 2011

Dobelli, Rolf: *Die Kunst des klugen Handelns. 52 Irrwege, die Sie besser anderen überlassen.* München 2012

Domizlaff, Hans: *Die Gewinnung des öffentlichen Vertrauens – Ein Lehrbuch der Markentechnik.* Hamburg 1939

Edgerton, David: *The Shock of the Old. Technology and Global History since 1900.* Oxford 2011

Fein, Ellen und Sherie Schneider: *The Rules. Time-Tested Secrets for Capturing the Heart of Mr. Right.* New York 1995

Feldenkirchen, Markus und Dirk Kurbjuweit: „Die zerhackte Zeit", In: *Der Spiegel* 2/2011

Ferguson, Niall: „Turning Points" In: *New York Times* 30. 11. 2012

Fischer, Theo: *Wu wie – Die Lebenskunst des Tao.* Reinbek bei Hamburg 2012

Fisher, Len: *Rock, Paper, Scissors. Game Theory in Everyday Life.* New York 2008

Foerster, Heinz von: „Über das Konstruieren von Möglichkeiten." In: *Wissen und Gewissen: Versuch einer Brücke.* Frankfurt a. M. 1993

Frankfurt, Harry G.: *On Bullshit.* Princeton 2005

Freitag, Michael: „Falling Star." In: *Manager-Magazin,* 4. 12. 2012

Fündt, Steffen: „Telefonbücher – Millionen für die Mülltonne". In: *Welt am Sonntag,* 29. 7. 2012

Gall, John: *Systemantics.* New York 2002

Gardner, Dan: *Future Babble. What Expert Predictions Fail and Why We Believe Them Anyway.* London 2010

Gigerenzer, Gerd: *Bauchentscheidungen. Die Intelligenz des Unbewussten und die Macht der Intuition.* München 2008

Goetz, Rainald: *Johann Holtrop. Abriss der Gesellschaft.* Frankfurt a. M. 2012

Gontscharow, Iwan: *Oblomov.* München 2012

Gonzales, Laurence: *Deep Survival. Who Lives, Who Dies, and Why.* New York 2003

„Growth. The Great Innovation Debate" In: *Economist*, 12.1.2013

Grünewald, Stephan: „Wir brauchen Träume als Korrektiv zum Alltag." In: *Frankfurter Allgemeine Sonntagszeitung,* 11.3.2013

Haas, Wolf: *Der Knochenmann.* Reinbek bei Hamburg 1997

Haque, Umair: The Awesomeness Manifesto. HBR Blog Network 16.9.2009 http://blogs.hbr.org/haque/2009/09/is_your_business_innovative_or. html

Honsel, Gregor: „Aufmerksamkeits-Kurve: Der Hype-Cycle neuer Technologien" In: *Technology Review* 21.10.2006

Horx, Matthias und Holm Friebe: „Peak Time". In: *Trend Update* 6/2012

Hovey, Craig: *Die Kakerlaken-Strategie.* München 2006

Hübner, Bernhard: „Warum der Videotext nicht tot zu kriegen ist". In: *Financial Times Deutschland,* 4.11.2012

Illies, Florian: *1913. Der Sommer des Jahrhunderts.* Frankfurt a.M. 2012

Imhof, Thomas: „E-Auto rollt in die Krise". In: *Welt am Sonntag*, 17.2.2013

Jakobs, Hans-Jürgen: „Die Grenzen des Gottähnlichen." In: *Süddeutsche Zeitung,* 5.10.2012

Johnson, Spencer: *Die Mäuse-Strategie für Manager.* München 2000

Jullien, Francois: *Vortrag vor Managern über Wirksamkeit und Effizienz in China und im Westen.* Berlin 2006

Kahnemann, Daniel: *Schnelles Denken, langsames Denken.* München 2012

Kaube, Jürgen: „Schweigen wir darüber." In: *Frankfurter Allgemeine Sonntagszeitung,* 30.9.2012

Koch, Christoph: *Ich bin dann mal offline.* München 2010

Koch, Manfred: *Faulheit. Eine schwierige Disziplin.* Springe 2012

Koeppen, Wolfgang und Siegfried Unseld: *Der Briefwechsel.* Frankfurt a.M. 2006

Koselleck, Reinhart und Christian Meier: „Fortschritt." In: Reinhart Koselleck, Werner Conze, Otto Brunner (Hrsg.): *Geschichtliche Grundbegriffe. Historisches Lexikon zur politisch-sozialen Sprache in Deutschland.* Bd. 2, Stuttgart 1975

Kostolany, André: *Weisheit eines Spekulanten. Im Gespräch mit Johannes Gross.* Düsseldorf 1996

Kraus, Katja: „Es bleibt sein Baby." In: *Die Zeit*, 4.4.2013

Krempel, Stefan: „Schock-Marketing aus dem Netz-Untergrund." In: *Telepolis*, 3.9.2000

KUBARK-Handbuch. N.N. 1963, http://de.wikipedia.org/wiki/Kubark-Manual

Laudenbach, Peter: „Ich sehe was, was Du nicht siehst. Kunst kann auch heißen: sich Aufwand zu sparen." In: *brandeins* 8/2012

Lichtenberg, Georg von: *Aphorismen.* Wiesbaden 2009

Lietaer, Berhard: „Erhöhte Unfallgefahr." In: *brandeins* 1/2009

Lind, Michael: „The Boring Age." In: *Time Magazine*, 22. 3. 2010

Luhmann, Niklas: „Die Knappheit der Zeit und die Vordringlichkeit des Befristeten." In ders.: *Politische Planung: Aufsätze zur Soziologie von Politik und Verwaltung.* Opladen 1971

Machiavelli, Niccolò: *Buch vom Fürsten.* Kindle-Edition

Maier, Corinne: *Die Entdeckung der Faulheit. Von der Kunst, bei der Arbeit möglichst wenig zu tun.* München 2005

Melville, Herman: *Bartleby, der Schreiber.* Frankfurt a. M. und Leipzig 2004

Nayaar, Vineet: *Employers First, Customers Second.* Boston 2010

Neuhann, Florian: „Die Lust des Forschers am Elfmeter." In: *Berliner Zeitung*, 3. 1. 2006

Nielsen, Jakob: zitiert nach: „Website redesign. A design for strife". In: *The Independent.* 22. 3. 2011

Ovid: *Liebeskunst.* München 1998

Parkinson, Cyril Northcote: *Parkinsons Gesetz und andere Studien über die Verwaltung.* Düsseldorf 2005

Partnoy, Frank: *Wait. The Useful Art of Procrastination.* London 2012

Passig, Kathrin und Aleks Scholz: *Verirren. Eine Anleitung für Anfänger und Fortgeschrittene.* Rowohlt 2010

Passig, Kathrin und Sascha Lobo: *Dinge geregelt kriegen ohne einen Funken Selbstdisziplin.* Berlin 2008

Ponzen, Alexandra: *Künstler ohne Werk. Modelle negativer Produktionsästhetik in der deutschen Künstlerliteratur von Wackenroder bis Heiner Müller.* Berlin 2000

Rest, Jonas: „Samwers, die Klon-Krieger." In: *Berliner Zeitung*, 16. 3. 2013

„Retten Sie Ihr Geschäftsmodell. Vorsicht Disruption!". In: *Harvard Business Manager*, Februar 2013

Robinson, Joan: *Die Akkumulation des Kapitals.* Frankfurt a. M. 1972

Rosa, Hartmut: *Beschleunigung. Die Veränderung der Zeitstruktur in der Moderne.* Frankfurt a. M. 2005

Rumelt, Richard: *Good Strategy, Bad Strategy. The Difference and Why It Matters.* New York 2011

Russel, Bertrand: *Common Sense and Nuclear Warfare.* London 1959

Sanders, Scott Russel: *Staying put. Making home in a restless world.* Boston 1993

Schelling, Thomas C.: *Strategy of Conflict.* Harvard 1960

Schirrmacher, Frank: *Ego – das Spiel des Lebens*. München 2013

Schwartz, Tony: „Relax! You'll be more Productive." In: *New York Times*, 9. 2. 2013

Seneca: *Von der Gemütsruhe*. Kindle Edition 2011

Senger, Harro von: *36 Strategeme für Manager*. München 2004

Sennett, Richard: *Der flexible Mensch*. Berlin 2000

Sloterdijk, Peter: *Weltfremdheit*. Frankfurt a. M. 1993

„So gelingt Firmen das Comeback". In: *Handelsblatt* 4. 2. 2012

Soliman, Tina: *Funkstille. Wenn Menschen den Kontakt abbrechen*. Stuttgart 2011

Sprenger, Reinhard K.: *Mythos Motivation. Wege aus einer Sackgasse*. Frankfurt a. M. 2002

Stewart, Matthew: „The Management Myth." In: *The Atlantic*, 1. 6. 2006

Stöb, Marcus: „Einfach dableiben". In: *Frankfurter Allgemeine Sonntagszeitung*, 14. 4. 2013.

Sun Tsu: *Die Kunst des Krieges*. Kindle-Edition

Surowiecki, James: „Later. What Does Procrastination Tell Us About Ourself?" In: *The New Yorker*, 11. 10. 2010

Syrotuck, William: *Analysis of Lost Person Behaviour*. Mechanicsburg PA 2000

Taleb, Nassim Nicholas: *Antifragile. How to Live in a World We Don't Understand*. London 2012

Taleb, Nassim Nicholas: *Der Schwarze Schwan. Die Macht höchst unwahrscheinlicher Ereignisse*. München 2008

Tetlock, Philip: *Expert Political Judgement: How Good Is It? How Can We Know?* Princeton 2006

Thaler, Robert und Cass Sunstein: *Nudge. Wie man kluge Entscheidungen anstößt*. Berlin 2012

Thiel, Peter: „The End of the Future." In: *National Review*, 3. 10. 2011

Tils, Ralf: „Wie Merkels ‚asymmetrische Mobilisierung' zu knacken ist." In: *Berliner Republik* 3/12

Tomkins, Calvin: *Duchamp. A Biography*. New York 1996

Vanek, Johann: *Keeping Busy: Time Spent in Housework*. Ann Arbor 1973

Vogel, Wolf Dieter: „Klang einer neuen Welt." In: *Die Tageszeitung* 22. 1. 2013

Vogel, Wolf-Dieter: „Schweigemärsche der Maskierten." In: *Die Tageszeitung*, 22. 1. 2012

Vogl, Josef: *Über das Zaudern*. Zürich und Berlin 2008

Walter, Frank: „Ingenieure an der Kristallkugel." In: *Freitag*, 13. 9. 2012

Warhol, Andy: *The Philosophy of Andy Warhol (From A to B & Back Again)*. New York 1975

Weiß, Vanessa: Mund zu, Herz auf. In: *NEON* 1/2013

Zimmer, Matthias: Fortschritt als Bürgerliche Leitideologie: Entstehung, Ausprägung, Zerfall. Komissionsdrucksache 17(26)29 des Deutschen Bundestages. 4. 4. 2011

Zimmermann, Rainer: *Das Strategiebuch. 72 Grundfiguren strategischen Handelns*. Frankfurt 2011

Dank an: René Aguigah, Christoph Albers, Philipp Albers, Joachim Bessing, Matthias Bucksteg, Mirko Caspar, Lukas Imhof, Louis Klein, Christoph Koch, Sascha Lobo, Heike-Melba Fendel, Carolin Paulus, Kathrin Passig, Thomas Ramge, Tilman Rammstedt, Cornelius Reiber, Markus Rettich, Julia Schulte-Ontrop, Bettina Semmer, Betty Siegel für Tipps und Hinweise; an Inge Friebe und Michael Brake für Korrektorat und Lektorat; an Thomas Hölzl und Christian Koth für den ganzen Rest.

INDEX